MADE IN CHINA

DU MÊME AUTEUR

LA SALLE DE BAIN, *roman*, 1985, (« double », n° 32)
MONSIEUR, *roman*, 1986
L'APPAREIL-PHOTO, *roman*, 1989, (« double », n° 45)
LA RÉTICENCE, *roman*, 1991
LA TÉLÉVISION, *roman*, 1997, (« double », n° 19)
AUTOPORTRAIT (À L'ÉTRANGER), 2000, (« double », n° 78)
LA MÉLANCOLIE DE ZIDANE, 2006
L'URGENCE ET LA PATIENCE, 2012, (« double », n° 104)
FOOTBALL, 2015

MARIE MADELEINE MARGUERITE DE MONTALTE

I. FAIRE L'AMOUR, *hiver* ; 2002 (« double », n° 61)
II. FUIR, *été* ; 2005 (« double », n° 62)
III. LA VÉRITÉ SUR MARIE, *printemps-été* ; 2009 (« double », n° 92)
IV. NUE, *automne-hiver* ; 2013 (« double », n° 107)

M.M.M.M., 2017

Aux Éditions Le Passage

LA MAIN ET LE REGARD, 2012, à l'occasion de l'exposition
LIVRE/LOUVRE au musée du Louvre

JEAN-PHILIPPE TOUSSAINT

MADE IN CHINA

LES ÉDITIONS DE MINUIT

© 2017 by LES ÉDITIONS DE MINUIT
www.leseditionsdeminuit.fr

ISBN 978-2-7073-4379-6

I

CHEN TONG

« Cher Jean-Philippe, est-ce que tu peux me transférer l'horaire de ton vol ? Il faut que je m'organise » m'écrivait Chen Tong quelques jours avant mon arrivée en Chine. Je suis arrivé à Guangzhou le 21 novembre 2014 dans la soirée, et Chen Tong m'attendait à l'aéroport. Je l'aperçus à distance vêtu d'une de ses éternelles chemisettes grises à manches courtes. Il se tenait immobile, les mains derrière le dos, le regard attentif, il se dégageait de sa personnalité un sentiment d'assurance et de calme. Il esquissa un sourire, à peine un sourire, l'encoignure de ses lèvres se souleva, tandis que ses yeux brillaient de complicité contenue. Mais rien de plus, son corps n'avait pas bougé, son visage était resté impassible, grave, placide. Je fis les derniers mètres pour le rejoindre, et on se donna l'accolade, avec précaution, mimant l'accolade plutôt que la donnant vraiment, il me tapa deux ou trois fois doucement dans le dos pour souligner nos retrouvailles. Il s'empara de ma valise et on passa les portes de l'aéroport, et aussitôt je fus assailli par l'odeur de la Chine, cette odeur d'humidité et de poussière, de légumes bouillis et de légère transpiration qui imprègne l'air chaud de la nuit. Nous ne disions rien sous les vastes auvents de verre incurvés de l'aéroport, et nous attendions la voiture qui devait venir nous chercher.

C'est à l'automne 1999 que j'ai fait la connaissance de Chen Tong, il a sonné un jour chez moi à Bruxelles, accompagné de Bénédicte Petibon, dont je semble inventer le nom à l'instant avec facétie, tant ce nom, Bénédicte Petibon, semble sorti tout droit de l'immense vivier dont on dispose pour composer les noms des personnages de roman. Mais, aussi loin que je me souvienne, c'était bien là son nom véritable. Ou alors j'invente, mais qu'importe : si on veut que la réalité chatoie, il faut bien la romancer un peu. C'est donc ce jour-là, à Bruxelles, que j'ai vu Chen Tong pour la première fois. Il m'avait informé quelques semaines auparavant de sa présence en Europe, et je l'avais invité à passer à la maison. Je les ai donc reçus, Chen Tong et Bénédicte Petibon, dans le salon de mon appartement de Bruxelles (Madeleine, dans mon souvenir, était absente ce jour-là). Je les ai fait asseoir et je leur ai servi un thé, tout ceci devait être assez guindé et cérémonieux, c'était la première fois que nous nous voyions. Bénédicte Petibon (plus je répète ce nom, plus je sens qu'il prend le large vers la fiction), m'éclaira sur la personnalité de Chen Tong — dont je ne savais encore quasiment rien à l'époque —, sur ses activités multiples, à la fois éditeur, libraire, artiste, commissaire d'exposition et professeur aux Beaux-Arts de Guangzhou. À l'occasion, elle traduisait une phrase énigmatique de Chen Tong, qui se contentait d'écouter attentivement mes propos et d'observer les alentours de son regard aigu. Même si aucune langue ne nous était commune, il y a toujours eu entre nous une intelligence du regard, et nous nous comprenions en général sans passer par les mots. Mais j'étais encore loin de savoir à ce moment-là toute l'importance que cette relation amicale et professionnelle prendrait dans ma vie, la profonde et inaliénable amitié qui me lierait à lui, et qui ne se démentirait jamais. C'était donc lui mon éditeur chinois, cet homme encore jeune, aux allures de lettré chinois, avec sa moustache à la Lu Xun, qui était pour l'heure assis dans le salon de mon appartement de Bruxelles.

Chen Tong était aussi, et serait de toute éternité, l'éditeur chinois de Robbe-Grillet. C'est peut-être ce qui le caractérisait le plus foncière-

11

ment. C'était là la clé de sa vocation d'éditeur. Chen Tong est devenu éditeur pour pouvoir publier Robbe-Grillet en chinois, et son attachement, sa fidélité, sa loyauté à l'œuvre de Robbe-Grillet, sont toujours demeurés exemplaires. Le premier livre que Chen Tong ait publié en Chine, c'est *Le Miroir qui revient*. Il l'a édité à ses frais au début des années 1990, alors qu'il venait de finir ses études aux Beaux-Arts. Il a tout payé de sa poche, l'achat des droits, la fabrication, les frais d'impression, tout. Lorsque le livre est paru en chinois, la maison d'édition lui en a donné quelques milliers d'exemplaires (il lui en reste d'ailleurs quelques-uns, avis aux amateurs). Il a mis beaucoup d'énergie pour éditer ce livre, il était encore jeune, il avait moins de trente ans. Il m'a aussi raconté que, au moment de la publication du *Miroir qui revient*, il s'est rendu spécialement à Changsha pour rencontrer les responsables de la maison d'édition. Il a pris l'autocar, c'était toute une expédition de se rendre dans le Hunan à ce moment-là, au moins sept heures de route. À l'arrivée, en descendant de l'autocar, il a bousculé un jeune homme, à qui il a involontairement marché sur les pieds. Le jeune homme était furieux, il prétendait que ses chaussures étaient foutues et voulait que Chen Tong les lui rembourse. Les palabres n'en finissaient pas, et Chen Tong, de guerre lasse, a fini par s'exécuter, il se souvient encore aujourd'hui du prix des chaussures de l'escapade Robbe-Grillet (200 yuans). À propos de chaussures, Chen Tong m'a raconté un jour qu'un de ses professeurs aux Beaux-Arts trouvait que l'évolution des arts plastiques, c'était comme l'évolution des vêtements, et que l'évolution de la littérature, c'était comme l'évolution des chaussures. Les vêtements changent très rapidement, de forme, de matière, de taille, de couleur, mais, pour les chaussures, les changements possibles sont beaucoup plus limités. Mais toi, me disait Chen Tong, comme Robbe-Grillet, tu as trouvé une manière différente de faire des chaussures.

Chen Tong est né le 22 décembre 1962. La légende, qu'il cultive, voire qu'il a lui-même édifiée, voudrait qu'il soit né dans un train. Le village de son enfance, qui se trouve à cinquante kilomètres de Changsha, dans le Hunan, s'appelait « l'étang de la lune ». Une seule route desservait le hameau. À l'époque, il n'y avait pas de transports en commun pour s'y rendre depuis Ning Xiang, la ville où habitaient ses parents. Il fallait emprunter ces longues allées qui traversent les rizières pour aller à pied chez sa grand-mère, il y en avait pour plus d'une heure de marche. Chen Tong a vécu deux ans chez sa grand-mère, à l'âge de onze ou douze ans. En hiver, il sortait vêtu de peu, pour endurcir son caractère. Fondamentalement, je crois qu'à l'époque, nous étions très différents (moi, je vivais encore à Bruxelles à onze ans). Il n'aimait pas faire la sieste, par exemple, et, refusant de s'y astreindre, il demandait à sa grand-mère pourquoi les poules, elles, avaient le droit de ne pas faire la sieste. La mère de Chen Tong était institutrice à la campagne, et Chen Tong la suivait à chaque fois dans les écoles ou collèges où elle enseignait. Le père de Chen Tong était peintre et calligraphe. Dans les années 1950, il travaillait comme photographe dans un journal de Ning Xiang, dans le Hunan, il se servait d'un appareil Dual, un 6 × 6, format 120. Une des photos qu'il a prises de la « commune du peuple » de son village a même été reprise par un journal japonais. La Révolution culturelle a ensuite fait zigzaguer le parcours de son père, qui « fut abaissé » jusqu'à ouvrier de laquage, selon l'expression de Chen Tong, puis qui a travaillé comme agent d'achat d'une usine de sprays pour l'agriculture, et enfin au Bureau de l'industrie, où il a pris sa retraite. Pour occuper ses vieux jours, il a loué un atelier pour fabriquer des enseignes et des panneaux publicitaires, qu'il a fini par confier à son disciple, avant de venir habiter chez Chen Tong, à Guangzhou, à l'âge de soixante-dix ans. Il est mort début 2014, le premier jour du Nouvel An chinois, un ou deux mois à peine après mon propre père (nous nous sommes annoncé mutuellement la mort de nos pères par mail dans les premiers mois de 2014).

Lors de cette première rencontre avec Chen Tong à Bruxelles en compagnie de Bénédicte Petibon, je leur ai fait visiter l'appartement. Nous avons fait un détour par la chambre des enfants. Anna, ma fille, assise sur le parquet, jouait sagement avec des planchettes en bois. Elle avait cinq ou six ans à l'époque (Anna a le même âge que Lele, le fils de Chen Tong, qui est également né en 1993). Chen Tong, qui fermait la marche dans le couloir, photographiait tout scrupuleusement sur son passage, la chambre des enfants, la bibliothèque, mon bureau, une photo de moi prise ce jour-là allait finir en pleine page d'un magazine chinois, un portrait où j'étais assis dans le salon, les jambes croisées dans mon fauteuil Marcel Breuer, le visage grave, les mains croisées sous le menton, l'air pensif, avec mon crâne lisse qui devait peut-être évoquer quelque figure de moine bouddhiste aux yeux asiatiques de Chen Tong (ou le Bouddha, lui-même, qui sait, avec sa cascade de bourrelets qui lui descend sur le ventre — quoique Chen Tong ne m'ait pas encore vu en maillot de bain à l'époque — et les lobes des oreilles disproportionnés, en signe de sagesse suprême, ou de virilité hors normes, tant l'alopécie révèle souvent l'excès de testostérone, ce qui

15

explique la corrélation, à première vue énigmatique, entre la calvitie et l'ithyphallisme — ah, c'est donc ça ! me dit un jour Madeleine).

Nous étions toujours là, Chen Tong et moi, devant les portes de l'aéroport de Guangzhou, à attendre la voiture qui n'allait pas tarder à venir nous chercher. Je pourrais très bien, si je voulais, la faire arriver à l'instant même, cette voiture — j'ai ce pouvoir magique, c'est le pouvoir de la littérature —, la faire apparaître maintenant et la laisser se garer en douceur devant nous en double file, ce qui aurait aussitôt pour effet de nous mettre en mouvement, de nous faire hâter le pas pour ouvrir le coffre et glisser ma valise dedans, avant de monter en vitesse dans le véhicule. Mais je n'ai pas envie de quitter Bénédicte Petibon de sitôt (qui, je le crains, ne fera qu'une très courte apparition dans ce récit). Dommage, elle commençait à y tenir un petit rôle prometteur (je ne l'ai revue qu'une seule fois par la suite, Bénédicte Petibon, après cette entrevue à Bruxelles). Avant de laisser Bénédicte Petibon disparaître dans les brumes du XXe siècle et se dissoudre lentement dans les émanations du souvenir, je voudrais dire un mot de sa fonction, du rôle d'*interprète* qu'elle jouait auprès de Chen Tong, chargée de l'accompagner à ses rendez-vous professionnels, auprès des éditeurs, des auteurs, des agents, des journalistes.

Plusieurs fois, dans le passé, je le sais, Chen Tong s'était rendu aux Éditions de Minuit, flanqué de telle ou telle Bénédicte Petibon, la vraie ou un succédané, une autre jeune femme, française ou chinoise, voire un jeune homme, comme Sha Pan, qui a repris le rôle dernièrement. Assis là dans le bureau de la rue Bernard-Palissy, Chen Tong se lançait dans de grandes explications en chinois, que Jérôme puis Irène Lindon accueillaient avec circonspection, la mine sombre et l'œil préoccupé (car, non content de parler chinois, Chen Tong est plutôt loquace). Il y a dans le bureau de Chen Tong, à Guangzhou, une photo de lui en compagnie de Jérôme Lindon qui a été prise dans le bureau de la rue Bernard-Palissy, devant les étagères remplies des couvertures blanches des Éditions de Minuit, Jérôme Lindon, les bras croisés dans une veste couleur rouille, le visage fermé et son air pas commode des grands jours, et Chen Tong, encore jeune, moustache et barbichette de lettré cantonnais, le regard volontaire, conquérant, les deux mains posées avec détermination sur le siège du bureau.

Un jour, lors d'un de ces interminables trajets en voiture que nous faisions ensemble lors de mes premiers séjours en Chine, nous nous étions retrouvés, Chen Tong et moi, perdus, sans interprète, dans une camionnette que conduisait son

17

chauffeur de l'époque, un Cantonnais mince à lunettes qui, dans mon souvenir, portait toujours le même polo rayé gris et bleu, un type souriant et l'œil rusé, qui avait été le chauffeur du maire de Guangzhou avant d'officier pour Chen Tong. Nous étions là, égarés dans notre conversation sur une route de campagne chinoise déserte, à évoquer le récent voyage de Chen Tong en France, réduits aux rudiments de français de Chen Tong et à mes bribes de chinois, la conversation revenant sans cesse, butant inexorablement, sur le même mot : « Normandie ». J'avais commencé par essayer de rattacher cette Normandie à Robbe-Grillet, je savais que Robbe-Grillet possédait une maison en Normandie, et, comme le sens de la conversation était que Chen Tong avait fait une visite en Normandie, je supposais que c'était à Robbe-Grillet qu'il avait été rendre visite. Non, non, pas Robbe-Grillet, me disait-il, Minuit ! J'essayais alors, plus difficilement, de relier la Normandie à Minuit, tentant une ouverture du côté de Jérôme Lindon, qui possédait, je le savais, une maison de famille à Étretat. Se pouvait-il que Chen Tong s'y soit rendu ? Cela me semblait peu vraisemblable, mais qui sait. Chen Tong, assis à l'avant de la camionnette, se tournait de temps en temps vers moi et n'en démordait pas : Minuit, Minuit, Normandie, disait-il. Un livre publié par Minuit qui se serait passé en Normandie ? finis-je par hasarder. Mais non, pas du tout, faisait Chen Tong découragé, consterné par l'hypothèse que je venais d'émettre. Il perdait patience, il haussait la voix. Normandie, répétait-il, Normandie ! Je ne comprenais pas où il voulait en venir. Eh bien, Chen Tong avait visité la Normandie, voilà tout. Mais quel rapport avec Minuit ? me demandais-je en regardant pensivement les bocages de la campagne chinoise à travers la vitre (mais était-ce bien des bocages, dans le fond, ces rizières, ne me laissais-je pas un peu emballer par le contexte de notre conversation). Je ne sus le fin mot de l'histoire que le lendemain, quand nous retrouvâmes Lilas, mon interprète de l'époque, qui élucida instantanément le mystère : Chen Tong, lors de son dernier séjour en France, avait visité les locaux de NORMANDIE ROTO IMPRESSION S.A.S., l'imprimeur des Éditions de Minuit.

Chen Tong et moi attendions toujours sans rien dire devant les portes de l'aéroport Baiyun de Guangzhou, guettant au loin l'arrivée de la voiture qui devait venir nous chercher. Je n'avais aucune idée du type de voiture que nous attendions, Chen Tong possédait en effet divers véhicules de société, et les modèles changeaient au gré de mes voyages en Chine, même si, dans l'ensemble, à l'image du parc automobile chinois, ils avaient tendance à monter en gamme à mesure qu'ils étaient renouvelés. Le fleuron inégalé de la flotte de Chen Tong, auquel, encore aujourd'hui, je continue de vouer une tendresse émue, était la camionnette aux armes de la librairie Borges, un véhicule de marque Subaru, de huit à dix places, trois rangées de banquettes en similicuir, dans lequel nous nous entassions, équipe et matériel, pour nous rendre à Xintang, où nous avons tourné *Fuir* en 2008. Comme le tournage avait lieu de nuit, nous chargions la camionnette tous les jours en fin d'après-midi devant les portes largement ouvertes des bureaux de Chen Tong, bureaux en ébullition en ces jours de tournage, où étaient entassés, à même le sol, des projecteurs et des caisses d'où dépassaient des câbles et des rouleaux de calques (la caméra et le matériel plus précieux étaient enfermés au premier étage dans un réduit verrouillé), et nous nous mettions en route, l'ancien chauffeur du maire de Guangzhou au volant, et Chen Tong à ses côtés, le téléphone à l'oreille pour régler quelque dernier détail, qui prenait la direction des opérations, en chef d'orchestre avisé et placide, se retournant parfois dans la camionnette pour donner des consignes à tel ou tel membre de l'équipe ou me faire part en chinois d'une dernière précision, que traduisait Lilas, mon interprète, qui faisait également office d'assistante pour le film. S'extirpant lentement des derniers embouteillages du périphérique de

Guangzhou, la camionnette prenait alors enfin de la vitesse sur l'autoroute et nous filions alors fièrement en direction de Xintang, le nom ailé de la librairie Borges tracé en idéogrammes d'or sur les portières du véhicule. Nous ne revenions jamais à Guangzhou avant trois ou quatre heures du matin. J'ai encore en tête des images d'autoroutes chinoises désertes en pleine nuit sur le chemin du retour, sur lesquelles la camionnette de la librairie Borges roulait en tremblant sur elle-même au faîte de ses possibilités restreintes. Je sommeillais à côté du chauffeur, regardant défiler à côté de moi des paysages endormis, qui flottaient dans les vapeurs des lumières jaune orangé des lampadaires de l'autoroute, émouvante brume en suspension dans l'air qui continue encore aujourd'hui à ondoyer dans ma mémoire.

C'est un de ces soirs, à la fin d'une nuit de tournage, à plus de deux heures du matin, que Chen Tong m'a appris la mort de Robbe-Grillet. J'ai retrouvé le mail que j'ai envoyé le lendemain à Madeleine : « C'est Chen Tong qui m'a appris la mort de Robbe-Grillet, à deux heures et quart du matin, alors que nous venions de terminer la première nuit de tournage dans un parking de Xintang. Nous étions en train de remballer le matériel, j'étais épuisé, j'avais froid, mais j'ai pensé que c'était une bonne et belle chose que ce soit

Chen Tong qui m'apprenne la mort de Robbe-Grillet, il nous connaissait tous les deux et il aurait sans doute aimé cette scène étrange, Chen Tong dans ce parking désert lisant un message sur son portable et me disant dans la pénombre : "Jean-Philippe, Robbe-Grillet, il est mort." »

La voiture qui devait venir nous chercher à l'aéroport de Guangzhou n'était toujours pas en vue, mais je ne m'inquiétais pas. J'avais l'habitude, lors de mes voyages en Chine, de me laisser porter par les événements. J'arrivais ce soir en Chine pour un nouveau tournage, mais je n'avais pas d'idées préconçues sur le film que je venais tourner. En général, lorsque nous menons à bien une entreprise, il faut toujours, en Occident, que nous ayons un but, une visée clairement définie. Mais, comme le fait remarquer François Jullien, la pensée chinoise ne partage pas cette conception. Même la stratégie, en Chine, n'est pas guidée par la finalité. Dans son essai *Nourrir sa vie*, François Jullien explique qu'il est impossible d'entrer dans la pensée des *Arts de la guerre* de la Chine ancienne si on ne prend pas en compte le fait que le général ne se fixe pas d'objectif particulier, et même à proprement parler n'a pas de *visée*, mais évolue en exploitant continûment à son profit le « potentiel de situation » qu'il a su détecter. Je voyais, dans cette réflexion, une parfaite illustration de l'état d'esprit dans lequel j'arrivais en Chine pour tourner *The Honey Dress*. Il m'importait moins de mener à bien, selon des critères connus et définis au préalable, un film idéal, qui aurait en quelque sorte préexisté dans mon esprit à sa réalisation, que de rester disponible et de me mettre en adéquation avec la situation que j'allais trouver.

Pour le reste, tout au long de mes séjours en Chine, je me laissais guider avec indolence par Chen Tong, en jouissant d'une sorte d'irresponsabilité quant à mes obligations sociales et à l'emploi du temps de mes journées, et je me contentais, dans le cocon abstrait de confiance dont on m'entourait, environné d'amour et de bienveillance, trimballé de place en place dans différentes voitures, de me comporter à la manière d'un très jeune enfant qui n'a pas encore appris à parler (en tout cas, pas le chinois), et qui observe le monde mystérieux, impénétrable et surnaturel qui évolue autour de lui de ses yeux perçants et attentifs, souriant aux personnes qui l'entourent, et qui, s'il ne comprend pas nécessairement toutes les paroles qui sont échangées autour de lui, perçoit, avec une perspicacité infaillible, l'enjeu des situations auxquelles il est confronté. Le peu de chinois que j'avais appris me donnait une connaissance suffisante de la langue pour comprendre, presque à chaque fois, de quoi il était question, a fortiori lorsqu'on parlait de moi ou des préparatifs des films que je tournais. Ce choix d'apprendre quelques rudiments de chinois avant de me rendre pour la première fois en Chine eut pour conséquence inattendue que le 11 septembre 2001, en ce jour où tout le monde se souvient de ce qu'il a fait, eh bien, moi, comme une métaphore subliminale de la nouvelle situation géostratégique du monde au début du XXIe siècle, je me trouvais à Bruxelles, dans les locaux de l'association Belgique-Chine, en train de prendre un cours de chinois.

Chen Tong reçut alors un coup de téléphone qui l'informait de l'arrivée imminente de la voiture. M'invitant à le suivre, il s'avança vers la chaussée en traînant ma grosse valise derrière lui. Il leva le bras au loin pour signaler notre présence, et une Mercedes blanche se gara devant nous. Chen Tong fit le tour de la voiture en trottinant pour ouvrir le coffre, tandis que, d'une des portières, surgissait Xiaoyang (Chen Tong avait fait appel à elle ce soir pour nous servir d'interprète, ayant enregistré diverses défections d'interprètes potentiels). Je connaissais Xiaoyang depuis près de quinze ans, elle avait été une des premières traductrices chinoises de mes livres. J'ignore comment Chen Tong procédait pour choisir les traducteurs avec qui il travaillait, mais le fait est qu'il y en avait un nombre considérable, j'en connaissais au moins quatre : Xiaoyang, qui était responsable du Département de français de l'université Sun Yat-sen de Guangzhou, Yu Zhongxian, éminent professeur à Pékin dans l'équivalent de l'École pratique des hautes études, Li Jianxin et Xu Ningshu. À ceci on pourrait encore ajouter quelques traducteurs inconnus, ou dispersés aux quatre coins de la vaste Chine, avec qui je n'ai jamais été en contact ni ne le serai sans doute jamais, sans compter Lilas, mon interprète de toujours, qui avait également traduit un de mes livres. On peut légitimement s'interroger, à la lecture de cette liste de patronymes où s'entrecroisent tant d'idéogrammes hétéroclites — Zeng Xiaoyang, Yu Zhongxian, Li Jianxin, Xu Ningshu, Gong Linlin —, sur ce qui assure la cohérence de ton de mes livres en chinois. Eh bien, la réponse, c'est que le liant, la cohésion, c'est Chen Tong lui-même qui l'apporte, c'est lui qui, nonobstant le fait qu'il ne parle pas français (en tout cas pas à un niveau suffisant pour juger des enjeux les plus fins d'un texte littéraire), relit l'ensemble des traductions et annote avec soin les épreuves avant publication, un stylo à la main, chez lui ou dans son bureau, quand ce n'est pas au restaurant, sur un coin de table, ou dans un taxi, une liasse de feuilles sur les genoux, qui repère les tournures qui le chiffonnent, en couvrant les marges de notules et d'apostilles en idéogrammes rouges, parfois assaisonnés de véhéments points d'exclamation ou de dubitatifs points d'interrogation. Ce qui m'enchante, moi, d'un point de vue théorique, dans cette pratique de la traduction, c'est l'importance donnée à la langue d'arrivée. Car Chen Tong travaille exclusivement sur le texte chinois, celui que le lecteur auquel il s'adresse recevra, le seul, dans le fond, qui importe à ses yeux. Chen Tong est éditeur, pas traducteur.

Quand je suis arrivé au Collège de Seneffe à l'été 2000 pour travailler avec mes traducteurs, il y eut un léger quiproquo lorsqu'on me présenta les traducteurs chinois. Ils étaient deux, côte à côte, un homme et une femme. C'était la première fois que je les voyais. Je n'avais encore à ce moment-là aucun contact avec la Chine, je ne m'y étais jamais rendu, je n'y connaissais personne, si ce n'est ce Chen Tong dont j'avais eu la visite à Bruxelles un an plus tôt, de sorte que la première personne dont je parlai à ces deux traducteurs qui venaient d'arriver à Seneffe, ce fut Chen Tong. Ils approuvèrent de la tête, et Xiaoyang (la femme), un peu gênée, je revois encore sa tête et son sourire embarrassé derrière ses épaisses lunettes, me dit que c'était lui, Chen Tong, en me montrant l'autre Chinois, que j'avais pris pour un traducteur. En résumé, à peine arrivé à Seneffe, j'avais pris Chen Tong pour un traducteur, et la directrice du Collège, elle, autre quiproquo qui venait se superposer au premier, l'avait pris pour le mari de Xiaoyang (de sorte qu'elle les avait mis dans la même chambre, alors qu'aucun lien particulier ne les liait, à part le fait qu'ils étaient tous les deux Chinois). Il est vrai qu'à ce moment-là, la personnalité de Chen Tong n'était pas encore clairement définie dans mon esprit, même si je n'ignorais plus désormais, quand je le croisais dans la cour de Seneffe, qu'il s'appelait Chen Tong et qu'il était mon éditeur chinois. Il est vrai que son nom était une bénédiction, deux caractères simples, bien proportionnés, avec l'évidence universelle du Chen et le petit coup de gong du Tong, Chen Tong, ce nom qu'il me paraissait déjà connaître avant même de l'avoir jamais entendu, comme si je le reconnaissais plutôt que ne le découvrais quand je l'ai entendu pour la première fois, ce nom si facile à retenir et qui paraissait même familier aux oreilles occidentales (imaginez si, comme Zeng Xiaoyang, il se fût appelé Zeng Xiaoyang). Pour le reste, à part ces deux éléments désormais clairement établis dans mon esprit, son nom (Chen Tong) et sa fonction (mon éditeur chinois), si j'essaie aujourd'hui de me souvenir de lui pendant les quinze jours où nous nous sommes côtoyés à Seneffe lors de ce premier séjour, il ne me revient en mémoire qu'une figure lointaine qui s'estompe dans les allées vaporeuses du château. À l'époque, pour moi, Chen Tong n'était encore qu'une silhouette dans la brume du présent, pas encore le personnage important qu'il allait devenir dans ma vie. Mais c'est à ce moment-là, lors de ce séjour à Seneffe, que Chen Tong m'invita pour la première fois en Chine. C'est Xiaoyang qui me fit part de l'invitation, et lorsque Chen Tong, devant l'intérêt que je manifestais à l'idée du voyage, voulut savoir quelles étaient mes « conditions », si je voulais venir seul ou accompagné, quelles villes je voulais visiter, ma réponse tint en un mot, « longtemps ». Je n'avais aucune condition à faire valoir, je voulais simplement rester en Chine « longtemps ».

J'avais pris place à l'arrière de la voiture à côté de Xiaoyang, et, échangeant quelques mots en français avec elle dans la pénombre, nous étions en train de renouer le fil de notre complicité intermittente. Même si Xiaoyang avait été ma première traductrice chinoise, les relations que nous avions entretenues au fil des années étaient restées assez discontinues, je ne l'avais revue qu'épisodiquement à chacun de mes voyages en Chine, comme si, après avoir rempli dans ma vie un rôle clairement défini (la première traductrice chinoise de mes livres), elle avait disparu derrière un rideau de scène imaginaire, continuant à vivre sa vie dans un univers parallèle, dont j'ignorais tout (ce n'est que bien plus tard, incidemment, que j'avais appris par exemple qu'elle était mariée), pour réapparaître de temps à autre ponctuellement sur le devant de la scène lors d'un de mes séjours à Guangzhou, comme si elle attendait tout ce temps en coulisses pour refaire son apparition et jouer auprès de moi sa partition (comme, en 2012, sur l'estrade de l'université Sun Yat-sen, où elle m'avait présenté à ses étudiants quand elle m'avait accueilli dans son cours). C'est ainsi que Xiaoyang m'était réapparue ce soir, tout à fait égale à elle-même, et n'ayant même pas vieilli (ce qui était quand même louche, car cela faisait plus de dix ans que nous nous connaissions). Elle n'était d'ailleurs pas la seule, parmi les amis ou connaissances que j'avais en Chine, à apparaître et disparaître ainsi avec régularité de ma vie, comme des comètes mystérieuses, qui se rapprochaient un moment très près de mon influence gravitationnelle pour ensuite s'éloigner et disparaître aux confins de l'univers visible. Il en était de même pour Lu Yi, le libraire, un des plus fidèles lieutenants de Chen Tong, mais la plus remarquable, la plus singulière comète qu'il m'ait été donné d'observer dans le ciel chinois, c'est sans conteste la comète Yang Yi, du nom de Yang Yi, le chanteur aux cheveux longs qui fut mon guide et mon accompagnateur lors de mon premier voyage en 2001, que j'avais vu tous les jours pendant plus de cinq semaines, et qui allait ensuite complètement disparaître de mon horizon observable pour réapparaître un soir dans le ciel de Lijiang, dans le Yunnan, en 2016, derrière la ligne des sommets enneigés du Dragon de Jade. Et même si, quinze ans, à l'échelle des comètes, cela correspond à une période extrêmement courte, et même fugace (on parle, pour les comètes, de *période courte* pour les périodicités inférieures à deux cents ans), à l'échelle humaine, c'est une éternité, au point que j'avais commencé à me faire à l'idée que je ne verrais plus jamais la comète Yang Yi sur terre. Mais, finalement, bon an mal an, la plupart de mes amis chinois, qui s'éclipsaient ainsi momentanément de ma vie comme s'ils s'étaient volatilisés dans le grand vide sidéral, réapparaissaient comme ils avaient disparu, à l'improviste, sans crier gare, et, aussitôt, la relation que nous entretenions dans le passé reprenait, comme une conversation interrompue, à l'endroit exact où nous l'avions laissée (à croire que mes amis chinois n'existaient plus dès que j'avais le dos tourné).

C'est Lea qui conduisait la Mercedes blanche ce soir. Lea est l'actuelle compagne de Chen Tong. Ce n'était pas la première fois que je la voyais, je l'avais déjà rencontrée en 2012 lors de mon précédent voyage. Naturellement, cela n'était pas dit en termes aussi explicites, qu'elle était la compagne de Chen Tong, il ne s'agissait pas là d'un titre honorifique ou d'une attribution, d'ailleurs rien d'extérieur ne laissait paraître les liens qui les unissaient, je n'ai jamais été témoin d'une quelconque manifestation de tendresse entre eux (je ne les ai jamais vus s'enlacer ni même se prendre la main), mais on pouvait deviner la nature de leur relation à certains détails imperceptibles, le fait par exemple que ce soit elle qui soit venue m'accueillir avec Chen Tong à l'aéroport au volant de la Mercedes blanche (qui, après la camionnette aux armes de la librairie Borges, était devenue la nouvelle voiture officielle de la Maison Chen Tong), ou le fait qu'une place libre était systématiquement laissée pour elle à côté de Chen Tong au restaurant, ou le fait encore que c'était elle, à la fin du dîner, qui prenait la responsabilité de payer l'addition, après avoir épluché longuement les comptes derrière ses lunettes d'un air à la fois méfiant et boudeur (coutume chinoise récurrente, d'étudier ainsi soigneusement chaque ligne de l'addition, pour contester l'éventuelle présence sur la liste de quelque plat facturé mais jamais parvenu), avant de se résoudre à payer, en retirant, d'une petite sacoche noire posée sur ses genoux, une liasse de billets de cent yuans chiffonnés ou flambant neuf pour régler en liquide le montant de l'addition. Enfin, pour ôter toute incertitude à ceux qui en douteraient encore, je me souviens d'avoir un jour entendu quelqu'un, pour parler d'elle, utiliser l'expression, aussi explicite que peu protocolaire, « la copine de Chen Tong ».

Mais ce sont là, on en conviendra, des questions qui relèvent de la vie privée de Chen Tong, et je ne suis pas sûr d'être le mieux placé pour écrire le chapitre « Chen Tong et les femmes » de sa biographie. Je ne graverai pour ma part que le côté édifiant de la médaille, ne comptez pas sur moi pour le versant indiscret. Longtemps, d'ailleurs, en 2001, dans les premiers temps de notre amitié, j'ai même ignoré que Chen Tong était marié (c'est dire si j'étais bien informé !). Autant, il me semblait que je savais, de toute éternité, que Chen Tong avait un fils, Lele, autant j'ai ignoré presque tout au long de mon premier voyage en Chine que Chen Tong était marié. Lele devait avoir huit ans la première fois que je l'ai vu à Guangzhou, dans l'appartement de fonction des Beaux-Arts que Chen Tong occupait à l'époque, et je me souviens d'avoir échangé avec lui autour de la table de la cuisine des phrases sur mes goûts, essentiellement culinaires, qui commençaient invariablement par *xihuan* (j'aime) ou par *bu xi-huan* (je n'aime pas), que je poursuivais par les quelques mots que je connaissais en chinois (*ya*, canard, ou *mogu*, champignon), bref de quoi alimenter une conversation, certes instructive, sur mon goût pour le canard ou les champignons, mais quand même limitée. Je me souviens aussi qu'un matin, à Hangzhou, tandis que je prenais le petit déjeuner avec Chen Tong dans une immense salle à manger impersonnelle d'un hôtel international en poursuivant une de nos mémorables conversations mi-français mi-chinois, aussi haletante dans le contenu que saccadée dans l'écoulement, et approximative dans le vocabulaire, alors que je lui expliquais en chinois que j'avais deux enfants, utilisant avec beaucoup d'à-propos le mot *haizi* (enfant), il hochait la tête en disant qu'il le savait (Jean et Anna), et il me répondait que, lui, il en avait un (Lele), et je hochais à mon tour la tête (oui, oui, je le savais aussi, nous le savions déjà), et, tandis qu'il évoquait alors l'ascendance de cet enfant, en faisant allusion — en français ? en chinois ? c'est là que les choses ont dû se corser — à quelque personne mystérieuse (Qing Qun) qui gravitait dans l'entourage de cet enfant, mais dont je n'arrivais pas très bien à déterminer le rôle, je lui demandai, m'impatientant, mais qui ? qui était cette personne ? il m'a répondu en français, et j'en suis resté pantois, sujet à de longues méditations rêveuses : « Mon mari » (bon, il voulait dire sa femme, le genre, en chinois, n'a pas la même importance qu'en français). C'était la première fois que j'entendais parler de madame Chen Tong.

La Mercedes blanche que conduisait Lea était maintenant entrée dans Guangzhou, et nous longions de longs périphériques surélevés, bordés de part et d'autre de quartiers résidentiels à peine éclairés. Je me laissais bercer par le paysage qui défilait à côté de moi par la vitre, chaque image de la ville saisie au vol m'en rappelait une autre, antérieure, issue d'un de mes précédents séjours. Les souvenirs superposés que j'avais accumulés dans cette ville ne se réactivaient pas tous à la fois, mais surgissaient, épars, intermittents, dans mon esprit — la façade ancienne d'un hôtel sur l'île de Shamian, un périphérique désert dans un taxi à plus de deux heures du matin —, les plus anciens datant de mon premier voyage, en 2001, quand Guangzhou n'était pas encore une de ces grandes mégalopoles internationales, comme l'étaient déjà à l'époque Pékin et Shanghai, mais gardait au contraire un côté encore presque rural, où on circulait à bicyclette et à moto, et où, ici et là, au détour d'une ruelle, parmi des épluchures de légumes abandonnées dans le caniveau, entre un marché de plein air et une gargote où on faisait cuire des brochettes sur le trottoir, des vestiges de la ruralité ancestrale de la Chine étaient toujours perceptibles. Assis à l'arrière de la voiture, je voyais la ville défiler dans la nuit par la vitre, avec les néons des karaokés et des restaurants qui changeaient de couleur sous mes yeux, et je guettais le passage du pont Renmin que nous n'allions pas tarder à traverser, avec la vue intemporelle de la Rivière des Perles, dont les rives étaient soulignées par une ligne bleue horizontale de diodes électro-luminescentes qui filait à jamais le long des berges et s'amoindrissait avec la perspective pour aller se perdre à l'horizon. Lorsque nous rentrions de Xintang pendant le tournage de *Fuir*, ce pont Renmin était pour moi le signe secret, la balise familière, qui annonçait que l'hôtel était bientôt en vue. Nous n'avions pas évoqué grand-chose avec Chen Tong ce soir dans la voiture pendant le trajet entre l'aéroport et l'hôtel, j'ignorais même dans quel hôtel il avait l'intention de me loger pendant ce séjour.

Secrètement, j'espérais que ce serait l'hôtel Rosedale. Il faut dire que je garde une tendresse passionnée, suave et satinée, pour cet hôtel Rosedale. J'y ai séjourné une première fois en 2006, dans une chambre qui donnait sur un immeuble en construction, dont on apercevait l'ossature de béton à travers la fenêtre, carcasse trouée qui, au fil des années, a fini par devenir un bel immeuble moderne, vitré, bleuté, achevé, tout à fait banal en comparaison de l'esquisse grisâtre et désossée

35

que j'avais auparavant dans mon champ de vision. J'ai également séjourné à l'hôtel Rosedale en 2008, pendant le tournage de *Fuir*, et c'est de cette époque que date mon attachement indéfectible pour cet hôtel, où, de jour comme de nuit, malgré le double vitrage des fenêtres en permanence encrassées de pollution, on entendait des bruits de travaux dans la rue derrière la rumeur continue d'une climatisation extérieure invisible. Rien ne remplacera jamais, à mon goût, le charme ineffable de cet hôtel, qui a dû être moderne il y a une vingtaine d'années et qui avait trouvé le moyen de paraître déjà démodé aujourd'hui, avec son grand hall d'accueil clinquant en faux marbre toujours encombré d'amoncellements de valises cantonnées derrière des piquets de mise à distance dorés garnis de cordons rouges. Le personnel, que le site Internet de l'hôtel appelait *our enthusiastic and cooperative staff*, était revêche et semblait toujours débordé. Les ascenseurs, invariablement surchargés ou en réfection, n'arrivaient jamais quand on les appelait, ou alors ils arrivaient pleins à craquer, et on échangeait un sourire d'impuissance avec une dame stoïque, la tête contorsionnée, qui laissait les portes se refermer sur elle en attendant l'arrivée d'une prochaine cabine bondée. En 2008, pendant le tournage de *Fuir*, je ne regagnais jamais l'hôtel avant trois ou quatre heures du matin, et, descendant de la camionnette de

36

la librairie Borges qui me déposait sur le parking abandonné, je traversais le hall fantomatique où brillait une lumière dorée éclatante. Cette image de l'hôtel Rosedale absolument désert à quatre heures du matin, où somnolait un unique réceptionniste en uniforme derrière le comptoir, sera pour moi toujours indissociablement liée au tournage de *Fuir*, ce tournage qui, malgré l'épuisement, le froid, la tension et les difficultés, restera une des plus belles expériences de ma vie. Arrivé dans ma chambre, je me laissais tomber sur le lit et je m'endormais aussitôt. Ce n'était pas toujours la même chambre qui m'était attribuée. Durant mes différents séjours, j'ai dû faire plusieurs fois le yoyo entre le huitième et le seizième étage, passant par le onzième, faisant un détour par le quatorzième. Parfois, au moment du check-in, Chen Tong venait inspecter la chambre avec moi pour me donner l'imprimatur, et, si cela ne lui convenait pas, il redescendait à la réception pour revendiquer une meilleure chambre, même si elles étaient toutes construites sur le même modèle, toutes extrêmement spacieuses et toutes extrêmement bruyantes. Certes, mon enthousiasme inconditionnel pour l'hôtel n'était pas justifié au vu de ses prestations, mais, chaque fois que nous parlions d'hôtel avec Chen Tong, je ne pouvais m'empêcher de lui rappeler la tendresse émue que j'éprouvais pour mon cher Rosedale (que ma mémoire, parfois, dans un joli lapsus, appelait *Rosebud*, du nom du dernier mot mystérieux prononcé avec émotion par le personnage de *Citizen Kane* avant de mourir).

Combien de fois n'étais-je arrivé avec Chen Tong dans un hôtel en Chine, le Maxim's à Pékin, l'Hansen à Shanghai, l'Holiday Inn à Hangzhou ou le Rosedale à Guangzhou ? Combien de fois la même scène ne s'était-elle reproduite à l'identique, avec quelques variantes mineures, quelques changements superficiels. À chaque fois, Chen Tong me demandait un document d'identité pour aller faire lui-même l'enregistrement, et c'était toujours le même sentiment d'inquiétude et de malaise diffus que je ressentais en lui donnant mon passeport. Dans les premiers temps de mes séjours en Chine, à chaque fois que nous arrivions dans un nouvel hôtel, Chen Tong montait avec moi dans la chambre, accompagné de trois ou quatre de ses collaborateurs et amis, qui faisaient partie du petit groupe informel qui gravitait autour de lui, la bande de Chen Tong, ou son clan, son petit noyau des Verdurin cantonnais. Tout ce petit monde prenait possession de ma chambre, se répartissait dans les fauteuils et sur le lit, allumait la télévision et se mettait à téléphoner dans le canapé, tandis que je restais là debout à côté de ma valise, silencieux et décontenancé, désagréablement surpris par cette invasion amicale. Peu à peu, cependant, ce rituel perturbant a fini par s'estomper, et Chen Tong, revenu à des usages plus policés, me laissait désormais découvrir ma chambre tout seul quand nous arrivions dans un nouvel hôtel.

Lors de mon premier séjour en Chine, en 2001, Chen Tong ne me logeait pas encore à l'hôtel, il n'en avait pas les moyens. Il m'avait installé dans une résidence privée, un îlot résidentiel dont l'entrée était protégée par un poste de surveillance, avec guérite et barrière, sur laquelle veillaient des gardiens en uniforme. Il n'y avait aucun touriste ni même aucun étranger dans la résidence. Je ne connaissais personne. Mon seul lien avec le monde extérieur était un minibus communal que je prenais à la sortie de la résidence qui me conduisait jusqu'au centre-ville, où je retrouvais Chen Tong. Pendant ce premier séjour à Guangzhou, un véritable lien ombilical m'a uni à Chen Tong, qui, en plus d'être mon éditeur et mon ami, fut une mère pour moi en Chine, qui veillait à mes désirs et pourvoyait à mes besoins, car il faut bien se rendre compte que, à ses yeux, dans ce monde inconnu dont je ne parlais pas la langue, j'étais, plus encore que le sont d'ordinaire les écrivains, un enfant démuni. Peut-être pas un nouveau-né sans défense, mais un enfant de sept ans, disons, qu'on peut à la rigueur laisser seul un instant, voire lui faire faire de courts trajets en bus sans accompagnateur, mais qu'on ne peut laisser de longues périodes sans surveillance, sans assistance, sans guide et sans interprète. Ce n'est que bien plus tard que je me suis rendu compte que l'appartement où Chen Tong m'avait logé pendant ce séjour — qu'il avait balayé, nettoyé de fond en comble et sans doute désodorisé, juché sur une chaise, avec un spray à la lavande avant mon arrivée, pour l'hôte de marque que j'étais — appartenait en réalité à un de ses étudiants, qu'il avait délogé pour l'occasion, et que, tout au long des trois semaines de mon séjour à Guangzhou en 2001, Chen Tong avait fait dormir son étudiant sur un lit de camp dans ses bureaux.

J'ai donc vécu presque trois semaines à Guangzhou dans cette résidence privée. J'étais là en immersion totale dans la Chine réelle, c'est le seul moment de ma vie où j'ai tenu une conversation complète en chinois. Je me souviens en particulier d'un salon de coiffure au sol en damier, où je m'étais aventuré au cœur de la résidence, que tenaient trois jeunes filles riantes, joyeuses, complices, les jambes recouvertes de leggings turquoise aux motifs fleuris, qui riaient de bon cœur chaque fois que je disais une phrase en chinois. Assis dans mon fauteuil de coiffeur, une cape de barbier en nylon verdâtre autour du cou, je leur expliquais que j'étais Belge (*wo shi bilishiren*, leur disais-je en chinois). Je leur faisais signe de la main pour dire « attendez, attendez, ce n'est pas tout ». Je suis écrivain, ajoutais-je (*wo shi zuodjia*), et LOL des trois filles qui s'esclaffaient de plus belle. Elles étaient pliées en deux à chaque fois que j'ouvrais la bouche. Je reprenais mon souffle, j'avais déjà épuisé presque tout mon répertoire. Je lâchais alors ma dernière cartouche. J'aime les champignons, disais-je (*wo xihuan mogu*), et c'était le bouquet final, l'apothéose dans l'étroite officine (je me demande encore aujourd'hui ce que je faisais dans un salon de coiffure).

Je me rendais compte, depuis deux ou trois heures que j'étais arrivé en Chine, que, à tout moment, affleuraient dans mon esprit des souvenirs de mes précédents séjours, depuis le grand voyage initiatique de 2001, en passant par l'invitation officielle des Services culturels français en 2006, le tournage de *Fuir* à Guangzhou en 2008, l'exposition organisée par Chen Tong l'année suivante, le colloque euro-chinois de Huzhou en 2010, jusqu'à mon dernier séjour, à l'automne 2012, quand j'étais venu tourner le film *Zahir*. Chaque nouvelle odeur que je reconnaissais ce soir depuis mon arrivée, chaque sonorité entendue (une annonce en chinois dans un haut-parleur

41

de l'aéroport de Baiyun, le brouhaha de la foule devant les sorties, ou les bribes de conversation qui nous parvenaient en sourdine dans la pénombre en provenance de l'autoradio de la voiture), réactivaient dans mon esprit un passé vécu ici même quelques années plus tôt. Mais, à ces souvenirs qui me revenaient par bouffées et qui faisaient constamment interagir le présent et le passé, s'ajoutait parfois une autre interaction, plus étrange, plus vertigineuse aussi, celle que certains événements que j'étais en train de vivre appartenaient, non pas au passé, mais à la fiction, à des épisodes que j'avais non pas vécus dans la réalité, mais que j'avais décrits moi-même dans mes livres, et en particulier dans *Fuir*, le roman que j'ai écrit qui se passe en Chine. C'est la réalité elle-même alors qui, vacillant sous mes yeux, paraissait s'envelopper soudain d'un voile de fiction.

La Mercedes blanche que conduisait Lea fit lentement son entrée sur la voie privée de l'hôtel Garden, et on nous ouvrit les portières dans une effervescence de grooms et une noria de chariots à bagages qui se pressaient autour du coffre. Nous passâmes les portes vitrées et accédâmes à un grand hall de marbre décoré de feuilles d'or, qui scintillait de mille clartés artificielles. J'avais, comme d'habitude, confié mon passeport à Chen Tong, qui s'était dirigé vers le grand comptoir

laqué de la réception pour procéder à l'enregistrement. Les opérations eurent lieu très vite, et
Chen Tong revenait déjà vers moi avec une clé
magnétique dans une pochette. Il m'invita à aller
m'installer dans ma chambre, et me proposa de
les rejoindre au restaurant Peach Blossom quand
je serais prêt, au troisième étage de l'hôtel. Je
regardai Chen Tong s'éloigner dans le hall, sa serviette à la main, de sa démarche chaloupée, le
corps ramassé, dense, concentré. Il s'arrêta et se
retourna pour me faire coucou à distance au
milieu du hall. Je lui répondis par un geste de la
main analogue, et Chen Tong, qui, depuis mon
arrivée à Guangzhou ne s'était jamais départi de
cet air grave, soucieux, toujours préoccupé par
telle ou telle question qu'il devait impérativement
régler au plus vite, me décocha alors un sourire
espiègle, complice, rond, rieur et enfantin, qui
illumina son visage et inonda les alentours de
clarté cristalline, comme si un rayon de soleil
venait soudain de percer dans le ciel derrière un
voile persistant d'épais nuages noirs qui assom-
brissaient le paysage.

Je gagnai les ascenseurs escorté d'un bagagiste
en livrée, qui m'accompagnait en faisant rouler un
chariot doré, sur lequel trônait mon unique valise.
Il m'invita, en tendant civilement le bras, à entrer
dans l'ascenseur et appuya sur le bouton du vingt-

deuxième étage. Pendant le trajet, nous ne disions rien. Je regardais autour de moi pensivement les parois de la cabine. *First time in China ?* me dit-il. Je dis que non, que c'était mon septième voyage. *Business ?* dit-il. *Business*, dis-je. Il n'insista pas, ne voulut pas savoir quelle était la nature de mon *business.* Il préféra me demander de quel pays je venais. *Belgium*, dis-je. *Belgium, very good*, dit-il en soulevant le pouce, en signe d'admiration. J'approuvai en silence de la tête, modeste, réservé. L'ascenseur arriva, et, après cette conversation laconique, retrouvant la rigueur professionnelle qui seyait à sa fonction, il tendit à nouveau civilement le bras pour m'inviter à sortir, puis me dépassa en slalomant prestement dans le couloir afin de m'ouvrir à nouveau la voie jusqu'à ma chambre. Il sortit la carte magnétique de la pochette que je lui avais donnée, la fit glisser sur le réceptacle bombé prévu à cet effet, et attendit. Rien. Il épousseta rapidement la carte sur sa manche et recommença l'opération. Toujours rien. Il me sourit, désolé pour ce contretemps. Il s'empara alors vigoureusement de la poignée de la porte, la fit tourner, la tira, la poussa. Il secoua la tête avec dépit, s'excusa du regard. Pour ne pas le laisser seul dans l'embarras, je saisis à mon tour la poignée et l'abaissai avec force pour essayer d'entrer. *Hey guys, how long are you going to play with that thing ?!* dit une voix derrière la porte. Nous

nous immobilisâmes, interdits, échangeâmes un regard dans le couloir. Il y avait quelqu'un dans *ma* chambre. Le bagagiste, confus, le regard désolé, me dit qu'il s'agissait d'une méprise, qu'il allait vérifier. Il me demanda un instant de patience et me laissa seul, redescendit à la réception. J'attendis dans le couloir, sortis mon téléphone de ma poche pour me donner une contenance et vérifiai s'il y avait du réseau dans l'hôtel, mais non, pas de wifi. J'étais là, dans le couloir de l'hôtel, à manipuler mon téléphone, quand la porte de ma chambre s'ouvrit devant moi. Un type apparut, corpulent, en tee-shirt lie-de-vin informe et délavé sur un pantalon de toile, avec des chaussons d'hôtel aux pieds. Il marqua un temps d'arrêt en me voyant. Sans un mot, il referma la porte et me contourna en me toisant d'un air méfiant, s'éloigna dans le couloir en se retournant encore une fois (lui aussi, il devait se sentir observé). Le bagagiste reparut quelques instants plus tard, pressant le pas dans le couloir mais évitant de courir, trottinant vers moi à petits pas glissés. Il était désolé de l'incident. Le réceptionniste s'était trompé, une nouvelle chambre m'avait été attribuée. Il posa ma valise sur le chariot et fit demi-tour, me précéda de nouveau dans les méandres interminables des couloirs de l'étage. Il ouvrit la porte de ma nouvelle chambre et m'invita à entrer. Il s'agissait d'une suite très confortable (canapé, table basse, corbeille de fruits). Je déposai mon sac à dos sur un fauteuil. Je venais de faire douze heures d'avion, j'étais brisé de fatigue, mes vêtements collaient, j'avais besoin d'un temps de repos et de délassement avant de rejoindre Chen Tong au restaurant. Au risque de le faire attendre, je résolus de prendre une douche.

En sortant de la salle de bain, je m'attardai un instant dans la chambre en peignoir de bain. Je m'arrêtai devant la baie vitrée et je regardais la ville qui s'étendait devant moi dans la nuit. Je regardais fixement ce paysage urbain illuminé, et je le voyais comme à travers un voile de temps, que j'aurais pu soulever pour retrouver, derrière les néons qui chatoyaient aux devantures des hôtels, des images plus profondément enfouies dans ma mémoire, moins colorées, de ce même quartier quinze ans plus tôt. Je me souvenais d'avoir dîné un soir dans un restaurant des environs lors de mon premier séjour à Guangzhou, quand la ville n'avait pas encore connu le développement fulgurant de ces dernières années. Je continuais de regarder la ville derrière la baie vitrée, voyant se composer et se décomposer de gigantesques enseignes lumineuses multicolores aux façades des restaurants et des karaokés, qui semblaient s'effondrer sur elles-mêmes, avant de se reconstruire, par étapes, les couleurs, rouge, jaune, orange, rose, violet, s'étageant, grimpant le long des bâtiments, pour former à nouveau des dessins stylisés et des idéogrammes dans la nuit. Mon regard alors, cessant de se porter au loin sur ces jeux de lumières en perpétuelles mutations, fut attiré par mon propre visage, que j'aperçus en reflet sur la baie vitrée. Je ne m'attendais pas du tout à tomber ainsi nez à nez avec moi-même, et cette rencontre fortuite me causa une désagréable surprise. J'observai un instant mon reflet sur la vitre, et ce qui me frappa surtout, au-delà de la fatigue du voyage et du décalage horaire qui brouillait mes traits, c'était l'inquiétude qui se lisait sur mon visage.

L'état d'esprit dans lequel je me trouvais ce soir en arrivant était des plus contrasté. J'étais à la fois excité, exalté par la tâche qui m'attendait, mais j'avais bien conscience de la difficulté, voire de l'impossibilité, de vouloir mener à bien ce projet de film qui consistait à adapter en images l'épisode de la robe en miel du prologue de *Nue*. Mais cette impossibilité, loin de me décourager, renforçait au contraire ma détermination, c'est bien parce que c'était apparemment impossible que je voulais relever le défi. Lors de mon premier séjour en Chine, quand je faisais encore beaucoup de photos argentiques avec mon vieux Nikon, Chen Tong avait remarqué que je ne faisais jamais de photos quand on m'y incitait. On avait beau m'emmener dans les endroits touristiques les plus admirables, les panoramas les plus exceptionnels, je hochais la tête poliment, sans jamais daigner sortir mon appareil-photo. Il avait résumé ce paradoxe en disant que je ne faisais des photos que quand c'était *impossible*, soit parce qu'il n'y avait pas assez de lumière (je faisais en effet beaucoup de portraits la nuit, avec des temps de pose très long), soit parce que c'était interdit (rien n'attisait autant mon envie de faire des photos que la proximité d'une base militaire hautement sécurisée). En arrivant ce soir à Guangzhou pour mener à bien le tournage de *The Honey Dress*, je me rendais compte que cela faisait déjà plus de deux ans que je n'avais plus eu à affronter un enjeu de création aussi décisif. J'étais prêt, de nouveau, à réunir toutes mes forces pour réussir ce film, comme si c'était le dernier, comme si c'était la dernière fois que je faisais un film, comme si c'était la dernière fois que j'avais l'occasion de créer une œuvre — et qu'ensuite, me disais-je avec grandiloquence, je mourrais. Tel, pour moi, était l'enjeu.

Mais, d'un autre côté, j'avais bien conscience que je n'avais prise sur rien, pas de prise sur les événements, pas de prise sur l'emploi du temps de la préparation, sur les dates du tournage, sur le budget. Tant de choses ne dépendaient pas de moi, tant de hasards surgiraient ces prochains jours pendant la réalisation de ce film. Et je repensai alors à la façon dont, en Chine, était considéré le « hasard ». J'avais renoncé depuis longtemps à l'idée d'apprendre le chinois, mais je continuais de m'intéresser de près à la pensée chinoise, à la manière dont la langue se construit, comment elle accueille les mots nouveaux (ces associations fulgurantes qui m'émerveillent, comme la juxtaposition des caractères « cerveau » et « électricité » pour dire « ordinateur »). J'avais ainsi appris quelques heures plus tôt, en lisant dans l'avion un livre de Cyrille Javary, que les idéogrammes qu'on utilise pour traduire en chinois le mot hasard tournent autour de l'idée de mise en relation, ou d'appariement, d'adéquation, et que, pour représenter le hasard, en Chine, on utilise l'image d'un oiseau qui se pose sur une branche. Poursuivant ma lecture dans l'avion, je m'étais alors arrêté au mot chance, et j'avais découvert que l'équivalent chinois de l'expression « avoir de la chance » était attraper (*peng*) le *qi* (*qi*) qui passe (*yun*). En somme, disait l'auteur, pour les Chinois, la chance n'est pas un don du ciel, mais le résultat d'une observation patiente de la configuration d'une situation momentanée, de manière à pouvoir y intervenir de la manière la plus efficace qui soit. Et, comme on a toujours tendance à ramener à soi les lectures que l'on fait, je fus frappé, en lisant

ces lignes dans l'avion qui me menait à Guangzhou, de voir combien cette description se rap-
portait exactement à ma situation actuelle, où « la
situation momentanée » était le tournage de *The
Honey Dress*, « l'observation patiente » était la
phase de préparation qui allait commencer et
« l'intervention efficace » ma contribution spéci-
fique au tournage. Pourquoi tant d'inquiétude, en
définitive, si tout ce qu'on attendait de moi dans
les prochains jours, c'était de parvenir à attraper
le *qi* qui passe ? (ce ne devait quand même pas
être sorcier).

Lorsque je redescendis rejoindre Chen Tong et
les siens dans la salle à manger du Peach Blossom
au troisième étage de l'hôtel, le thé était déjà servi,
mais ils n'avaient pas encore commandé le repas.
Je pris place avec eux à une grande table ronde.
À peine une dizaine de tables étaient occupées
autour de nous. L'ambiance était feutrée, silen-
cieuse, quelques peintures chinoises traditionnel-
les, qui représentaient des fleurs déliées et des
oiseaux sur des branches, décoraient les murs en
tissu pêche du restaurant. Malgré la fatigue et le
décalage horaire, j'attendais beaucoup de ce
dîner. J'avais besoin d'être rassuré sur un certain
nombre de points, je voulais me faire confirmer
que la préparation du film avait bien été mise en
route. J'avais déjà constaté avec inquiétude dans

la voiture que Chen Tong n'avait relevé aucune des perches que je lui avais tendues à propos du tournage, et qu'il préférait se montrer évasif sur la question. Ce qui ajoutait encore à mon trouble, c'est qu'il avait toujours témoigné de cette même attitude de réserve depuis que je m'étais ouvert à lui quelques mois plus tôt de mon intention de venir tourner *The Honey Dress* à Guangzhou. Il ne m'avait jamais envoyé de signaux positifs, jamais d'encouragements ou de confirmation en bonne et due forme. Il m'avait simplement donné son accord de principe pour un nouveau voyage en Chine à l'automne. Il m'avait alors écrit, avec sa générosité habituelle, qu'il prenait toutes les dépenses en charge, ajoutant : « Donc, ne t'inquiète pas, viens ! » Ne t'inquiète pas, ne t'inquiète pas, pourquoi m'avait-il dit de ne pas m'inquiéter ?

L'été dernier, j'avais profité de la présence de Xu Ningshu à Seneffe, pour faire traduire une première version du scénario à l'intention de Chen Tong, avec un résumé sommaire des différents points qui me paraissaient importants. Parallèlement, j'avais rédigé une esquisse de plan de travail, et une note récapitulative de mes besoins en comédiens et figuration (une mannequin européenne, et une dizaine de figurants chinois, assistants, habilleurs, maquilleurs, un apiculteur, deux pompiers), ainsi que des accessoires nécessaires (du miel, du matériel de peinture au sens large, bâches, brosses, pinceaux, rouleaux, escabeau). J'avais envoyé le tout traduit en chinois à Chen Tong à la fin du mois d'août, et je n'avais jamais eu de nouvelles. Je l'avais relancé une première fois début octobre, sans plus de résultat. Puis, m'inquiétant à mesure que la date du départ approchait, je l'avais relancé une dernière fois, je lui avais envoyé un nouveau message, plus explicite, et il avait fini par me répondre qu'il était très occupé par un projet de théâtre, et il me priait simplement de l'excuser d'avoir tardé à lui répondre. Pour ma part, je continuais de préparer le film de mon côté. Dans la mesure où il s'agissait, dans le scénario, de faire voler un essaim d'abeilles pendant un défilé de mode, je me demandais comment faire apparaître les abeilles à l'écran. J'hésitais entre travailler avec de vraies abeilles (mais je n'avais aucune idée si c'était simplement possible), ou faire appel à des techniques de trucage vidéo, afin de faire apparaître les abeilles à l'image en surimpression ou en incrustation numérique, techniques sophistiquées qui progressaient constamment, et dont le maniement, jusque-là réservé à quelques techniciens spécialisés, étaient maintenant à la portée de tout monteur confirmé. Une dernière option qui se présentait à moi était de faire appel à la 3D. Il ressortait d'ailleurs des quelques conversations que j'avais pu avoir avec des spécialistes, que c'était la 3D qui offrait les meilleures perspectives. Il m'arrivait aussi d'aborder la question, de manière informelle, lors de mes déplacements, quand je faisais part de mon projet d'aller tourner *The Honey Dress* en Chine à l'automne. Ainsi, à Sarrebruck, en marge d'une conférence à laquelle j'avais participé, j'avais eu l'occasion d'évoquer la question avec Mme Oster-Stierle, la titulaire de la chaire de littérature française de l'université de la Sarre, qui s'était montrée particulièrement enthousiaste et réceptive au projet. Elle m'avait même proposé de m'aider en m'expliquant qu'elle connaissait un apiculteur (je vais me renseigner pour vous, m'avait-elle dit).

Puis, les jours passant, j'avais un peu oublié cette conversation, quand, un jour d'octobre, je vis apparaître le nom de Prof. Dr. Patricia Oster-Stierle dans la boîte mail de mon ordinateur. Patricia (vous permettez que je l'appelle Patricia, car, malgré ses hautes fonctions universitaires, c'était quand même une amie), me faisait savoir dans ce message (le titre du message, à lui seul, laissait rêveur : *Bienenfüßchen*), que l'apiculteur qu'elle connaissait lui avait répondu et qu'il lui avait fait part d'un certain nombre de faits saillants ou remarquables, comme l'existence d'un film où apparaissait une *robe en abeilles* (suivait le lien YouTube d'une vidéo), ou d'un concours de « barbes à abeilles », qui avait lieu en Chine où un certain Gao Bingguo ! (et le point d'exclamation est d'origine, c'est Patricia qui l'avait gaiement frappé sur son clavier), avait réussi à porter sur son corps 326 000 abeilles ! Nouveau point d'exclamation enthousiaste de Patricia (il est vrai que 326 000 abeilles réparties sur le corps, cela en bouche un coin). Quant à la question qui m'occupait, à savoir comment faire évoluer des abeilles à la suite d'une mannequin sur un podium de mode, voici ce que disait Mme Oster-Stierle : « L'apiculteur a suggéré qu'on pourrait mettre une reine dans une petite boîte qu'on installerait sur un bâton transparent qu'on tournerait en rond. Mais moi, j'ai pensé qu'on pourrait aussi installer la boîte avec la reine sur un petit drone qu'on pourrait faire voler comme on veut et les abeilles seraient autour ou même sur le drone. » Et, en annexe à son message, Patricia avait joint les explications de l'apiculteur, qu'il avait truffées d'incises savantes et de pétulantes bifurcations enjouées, qu'il avait dû rédiger en bouillonnant de jubilation contenue. On voyait bien, à lire les explications enflammées de cet homme, qu'il prenait un réel plaisir à faire partager sa passion et que son amour des hyménoptères n'était pas feint, les germanistes apprécieront : « *Der Bienen-*

schwarm ist eigentlich ein natürliches Ereignis. Ein Bienenvolk teilt sich in zwei Teile, die Bienen fliegen mit einer Königin, die alle durch ihren Duft zusammenhält, zu einer neuen Behausung, in der Regel irgendeine Höhle. » Je relus l'intégralité du message en allemand sur mon ordinateur d'un air songeur (bon, eh bien, je n'étais pas sorti de l'auberge).

Dans la salle à manger du Peach Blossom, au troisième étage de l'hôtel Garden, Chen Tong, la mine soucieuse, étudiait la carte et énumérait une suite de plats au maître d'hôtel, un plat, puis un autre plat, puis un autre plat, et le maître d'hôtel notait la commande à mesure. Chen Tong tournait pensivement les pages du grand menu noir plastifié et indiquait encore un plat au passage au maître d'hôtel, puis revenait quelques pages en arrière, il levait la tête vers moi et disait, en français « Poisson ? » en m'interrogeant du regard, et je hochais la tête en signe d'acquiescement (oui, oui, très bien, poisson). Il relevait alors la tête vers le maître d'hôtel et faisait ajouter un plat de poisson, puis, estimant que c'en était assez, il refermait la carte d'un petit coup sec et la reposait sur la table. Bientôt, on nous apporta les premiers plats, coupelle de petits pois verts dans leurs cosses, canard rôti, tofu au porc et aux piments. La conversation s'animait, et je piochais avec précaution un fragment de volaille entre mes baguettes, que je portais à ma bouche après l'avoir trempé dans une sauce à la badiane et à la cannelle. Je ne sais si c'est en raison de l'état d'esprit particulier dans lequel je me trouvais ce soir-là, à cause de la fatigue du voyage ou de l'inquiétude diffuse que je ressentais pour le tournage à venir, mais, pendant le dîner, je pris assez mal une remarque que me fit Chen Tong au sujet du financement de *Zahir*, le précédent film que j'avais tourné à Guangzhou — je le pris comme un vrai coup de poignard dans le dos, aussi injuste qu'inattendu. Sans doute n'y avait-il pas de mauvaise intention de sa part, peut-être voulait-il simplement me taquiner (il accompagna d'ailleurs sa remarque d'un petit rire narquois, avant de s'essuyer la bouche dans sa serviette, les épaules encore secouées d'un résidu d'hilarité privée). Ce que Chen Tong avait laissé entendre, en réponse à mon souci de limiter au maximum le budget du nouveau film que nous allions tourner, c'est que j'avais beau jeu maintenant de dire qu'il ne fallait pas trop dépenser pour *The Honey Dress*, parce que, pour *Zahir*, en 2012, c'est lui qui avait tout financé ! Si je pris autant à cœur cette remarque, si elle me toucha aussi vivement, c'est peut-être d'ailleurs qu'elle contenait un fond de vérité. Mais, si j'étais prêt à reconnaître moi-même que, sans Chen Tong, jamais je n'aurais pu tourner mes vidéos en Chine, il ne me plaisait pas tellement que ce soit quelqu'un d'autre (fût-ce lui-même, le principal intéressé) qui me le fasse remarquer. Mais, surtout, ce n'était pas vrai qu'il avait tout financé — c'est moi, de ma poche, et en liquide, qui avais réglé intégralement le cachet du cheval !

Mais il s'agit là d'une longue histoire, qu'il conviendrait peut-être de reprendre au début. Quand, il y a quelques années, j'avais fait part à Chen Tong de mon intention de venir en Chine pour tourner une adaptation de la scène de l'embarquement du cheval Zahir dans un aéroport, deux problèmes s'étaient posés à nous, obtenir les autorisations pour tourner dans l'aéroport de Guangzhou et trouver un cheval. J'imaginais, pour ma part, que le plus difficile serait d'obtenir les autorisations des autorités aéroportuaires de Baiyun, mais contre toute attente, Chen Tong y était parvenu assez facilement. Chen Tong ne manquait jamais de ressources. Pour le film *Fuir*, il avait graissé la patte à l'ami d'un commissaire de police, en lui offrant une peinture traditionnelle chinoise de sa composition, afin d'obtenir l'autorisation de tourner dans une salle de contrôle hautement sécurisée de la police de Guangzhou équipée d'un mur d'images de vidéosurveillance. Car Chen Tong, indépendamment de ses activités d'éditeur, de curateur et de professeur aux Beaux-Arts, était aussi un artiste apprécié dans le Sud de la Chine, qui vendait très bien ses œuvres, ce qui lui permettait de vivre confortablement, et même, à l'occasion, de favoriser ses affaires (car c'est bien là le moindre des paradoxes de Chen Tong, que la publication des œuvres françaises d'avant-garde qu'il publiait, les livres de Beckett ou de Robbe-Grillet, était en grande partie financée par ses gains comme artiste traditionnel chinois). Le stratagème, aussi compliqué qu'ingénieux, qu'avait cette fois imaginé Chen Tong pour obtenir l'autorisation de tourner à l'aéroport de Guangzhou, c'était de mettre en place une collaboration fictive avec un magazine d'aéronautique chinois. Ayant trouvé son partenaire, en la personne du rédacteur en chef de la revue *Feiji*, ils avaient rédigé ensemble une lettre à l'adresse des autorités aéroportuaires de Baiyun, en leur expliquant que, pour fêter l'acquisition récente, par la compagnie China Southern Airlines, de plusieurs Boeing A380, ils envisageaient de faire réaliser un reportage photographique de façon conjointe par un Français et un Chinois, en marge de la célébration du cinquantenaire des relations franco-chinoises qui avait lieu en 2014. Chen Tong, on l'aura deviné, voulait me faire jouer le rôle du Français (alors que je ne suis ni Français et à peine photographe, en tout cas pas dans le sens où on l'entend quand il s'agit de réaliser, pour une revue spécialisée, un reportage technique sur l'Airbus A380). Mais le stratagème était imparable, et les autorisations nous furent accordées. Pendant le tournage, nous fûmes d'ailleurs affligés en permanence d'un vrai photographe chinois, mon complice dans cette mystification, mon double d'opérette, qui rôdait à côté de nous sur les pistes dans sa chasuble azur de photographe assermenté, en exhibant partout son appareil-photo phallique, qui avait fière allure à côté du mien. En revanche, trouver un cheval, ce qui me semblait être d'une simplicité biblique, se révéla être beaucoup plus épineux que prévu pour Chen Tong. Bien avant mon arrivée, Chen Tong me fit en effet savoir par mail qu'il n'y avait pas de chevaux à Guangzhou. Il n'y a tout simplement pas de haras dans le Sud de la Chine. Il y en a à Pékin, il y en a au Tibet, il y en a en Mongolie, il y en a où on veut, mais pas à Guangzhou.

Quelques jours avant le tournage de *Zahir*, nous sommes quand même partis en repérage dans un haras qui se trouvait à une quarantaine de kilomètres au sud de la ville, notre équipe au complet dans la voiture (à ceci près que Lilas, mon interprète, était absente, de sorte que j'étais assisté cet après-midi-là d'une charmante jeune femme, interprète anglais-chinois occasionnelle, qui était aussi enchantée qu'intimidée de passer la journée avec moi). Après plus d'une heure de route, nous arrivâmes en vue d'un haras fantomatique, sans âme qui vive ni animal qui broute, point de chevaux sur le sable grisâtre des enclos déserts, point d'humains dans les coursives abandonnées. Nous descendîmes de voiture et passâmes une tête dans les écuries silencieuses. Des chevaux mangeaient dans leurs box, secouaient leur crinière (enfin, vous connaissez les chevaux). On nous fit attendre un certain temps, avant d'être reçus par le propriétaire du haras, ou son représentant, un Chinois qui ne jouera aucun rôle ultérieur dans ce récit, et que je ne décrirai pas, je me contenterai de dire qu'il ne m'était pas sympathique. Je ne comprenais pas très bien ce que racontait cet homme qui portait de prétentieuses bottes d'équitation, tous les échanges avaient lieu en chinois, et mon interprète, très douce, très gentille, se contentait de me regarder avec béatitude et de me sourire avec félicité, elle ne traduisait quasiment rien. Au bout d'un moment, elle me montra la croupe d'un cheval, qui nous tournait ostensiblement le dos, agitant négligemment la queue en faisant du surplace dans son box, et elle me dit que c'était celui-là que nous aurions pour le tournage. C'était lui notre acteur, en quelque sorte, ou notre actrice (j'ignore de quel sexe était l'animal). Ce n'était pas celui que j'aurais choisi, personnellement — si j'avais dû tourner un film, par exemple —, mais on ne me demanda pas mon avis. On se montra évasif, on éluda même quand, me réveillant de ma torpeur, endossant enfin mon rôle de metteur en scène, je voulus poser quelques questions précises. Comment le cheval serait-il harnaché le jour du tournage ? Qu'est-ce qu'il aurait comme selle ? Qui l'accompagnerait ? Quelle tenue porterait l'accompagnateur ? N'ayant obtenu aucun renseignement sur aucune des questions que j'avais posées, je demandai alors s'il était possible de voir le van qui transportait le cheval, car j'avais l'intention de le montrer également dans le film, mais on me répondit qu'il n'était pas visible aujourd'hui, et, sans plus attendre, on remonta dans la voiture et on reprit le chemin de Guangzhou (il y en avait pour plus d'une heure de route). Personne ne disait rien dans la voiture, tout le monde faisait un peu la gueule, moi le premier. L'ambiance était lourde. Au bout de quelques kilomètres, je m'enquis en passant du prix que demandait le propriétaire pour la location du cheval, et Chen Tong, maussade, à l'avant de la voiture, les yeux sur l'écran de son téléphone, laissa entendre que c'était cher, très cher, mais ne dit pas exactement combien, expliquant qu'il fallait payer le transport, la prestation des lads (deux lads minimum), sans compter l'assurance. Mon interprète traduisait tout cela en anglais. Quant au prix précis, elle n'en disait

61

toujours rien. J'insistai. Elle reposa de nouveau la question à Chen Tong, et finalement le verdict tomba : 4 000 yuans (environ 500 euros). Je hochai la tête, et je dis que je prendrais moi-même en charge la totalité des frais de location du cheval. L'interprète traduisit, et il y eut un moment de stupéfaction dans la voiture, ils se tournèrent tous vers moi pour me regarder avec incrédulité.

Le lendemain, à la fin d'une réunion de préparation du film, assis ensemble dans la salle de réunion du premier étage des bureaux de Chen Tong, je fis passer discrètement une enveloppe à Chen Tong avec les 500 euros en liquide. Il l'entrouvrit, pensif, regarda dedans, compta vaguement les billets en passant un doigt sceptique sur la tranche des coupures, et dit : « Qu'est-ce que c'est que ça ? » Je lui dis que c'était l'argent pour le cheval. Il s'ensuivit alors une conversation en chinois entre Chen Tong et Lilas (car Lilas, mon interprète habituelle, était de retour, c'était de nouveau elle qui traduisait nos échanges), de quoi il ressortit que ce n'était pas 500 mais 5 000 euros, que le propriétaire demandait. Mon interprète occasionnelle avait confondu *hundred* et *thousand*, une vétille. Cinq mille euros ! dis-je. Je n'en revenais pas. J'expliquai alors que, dans ce cas, il n'était pas question qu'on loue le cheval, que je préférais ne pas tourner le film. Je le dis avec solennité, je ne payerais pas cinq mille euros pour ce cheval, et je ne voulais pas non plus que Chen Tong paie cinq mille euros pour ce cheval. Mais comment tu vas faire, alors ? me dit Chen Tong. Je ne sais pas, dis-je, contrarié, en me levant pour apaiser la nervosité. Je fis quelques pas en tournant en rond dans la pièce. J'allai regarder par la fenêtre. Je réfléchis. Je tournerai le film ailleurs, dis-je, en France par exemple, j'ai des copains en France qui ont des chevaux. Ils me regardèrent tous avec étonnement (c'est vrai, Breton a des chevaux, je pourrais me faire prêter un cheval par Breton). Il n'était pas question, en tout cas, je le redis encore avec gravité, de payer cinq mille euros pour ce cheval. Et Chen Tong alors, toujours assis au fond d'un des confortables fauteuils noirs de la salle de réunion, dit en ouvrant les bras : « Mais, on ne peut plus renoncer maintenant, on a obtenu l'autorisation de tourner à l'aéroport. »

Le jour du tournage, le cheval était là. Je ne sais pas si Chen Tong avait finalement réussi à l'obtenir pour cinq cents euros, ou un peu plus, six cents euros, comme il le prétendait (il jurait que pas davantage), mais le cheval était bien là. En réalité, si Chen Tong avait en effet obtenu l'autorisation de tourner à l'aéroport, nous ne pouvions pas, pour des raisons évidentes de sécurité, faire entrer le cheval sur les pistes, de sorte que le premier soir, après avoir passé les contrôles de sécurité, nous nous étions contentés, dûment badgés, surveillés et escortés, de faire, en équipe réduite, et sans cheval, quelques plans au bord des pistes depuis les vastes hangars de maintenance de China Southern. Pour accueillir le cheval, le lendemain, nous avions trouvé un deuxième décor à proximité de l'aéroport, une ancienne école d'aviation qui contenait elle aussi un hangar, plus petit, et une piste où étaient abandonnés une dizaine de vieux coucous à hélices attendrissants et cabossés. Je savais qu'au montage, il serait possible de fusionner les deux décors et qu'à l'écran, on aurait le sentiment que le cheval évoluait dans un seul grand aéroport.

Le soir du tournage, le cheval était attendu vers dix-huit heures, mais nous avions quitté Guangzhou en début d'après-midi, et Chen Tong avait installé notre équipe à l'hôtel Pullman Guangzhou Baiyun Airport, un de ces hôtels d'aéroport improbables où il avait réservé des chambres pour nous, j'ignore pourquoi (je soupçonne là quelque manigance occulte, une opportunité à saisir, un échange de bons procédés avec le propriétaire), car nous n'avions pas besoin de chambre d'hôtel pour ce tournage : le cheval, aussi fantasque et capricieux fût-il, n'avait pas besoin de loge de maquillage. Mais bon, nous avions ces chambres à notre disposition et j'en ai profité pour faire une sieste (un effet d'aubaine, en quelque sorte). Un peu avant dix-huit heures, notre équipe est repartie de l'hôtel dans la nuit pour aller réceptionner le cheval à un péage d'autoroute, avant de l'escorter en convoi vers l'école d'aviation. Il tombait une pluie fine ce soir-là, qu'on voyait se diluer dans la lumière orangée des réverbères. Arrivés devant les barrières de sécurité de l'école d'aviation, dont le profil se dessinait dans la brume, le van fut arrêté, et des pourparlers commencèrent avec les deux gardiens en uniforme qui tenaient le poste, auxquels Chen Tong, descendant de voiture sous la pluie, arrivant au petit trot jusqu'à leurs guérites, vint se mêler, bientôt suivi de quelques autres, son assistant, le chauffeur, puis moi-même et Lilas, qui rejoignirent l'attroupement pour venir aux nouvelles. Lilas m'expliqua que le van n'avait pas le droit d'entrer dans le périmètre de l'école d'aviation (eh bien, ça commençait bien). En fait, le cheval, lui, avait le droit d'entrer, mais pas le van, le camion devait rester à l'extérieur, ce qui n'aurait posé aucun problème si je n'avais pas eu précisément l'intention de filmer l'arrivée du van et le débarquement du cheval sur les pistes. Je restai calme. Je suis pragmatique quand je travaille, j'évalue ce qu'il est possible de faire et ce qui ne l'est pas, ce sur quoi je peux agir, quand cela vaut la peine de résister, de contredire, voire de faire un esclandre (en Chine, jamais). Je les pris au mot et je dis que, puisqu'on ne pouvait pas entrer dans l'école d'aviation, eh bien nous n'entrerions pas dans l'école d'aviation, nous tournerions ici même, devant les barrières de sécurité, et je leur demandai de sortir la caméra. Aussitôt, ce fut le branle-bas de combat autour de moi, on se mit à décharger le matériel, on sortait des caisses des voitures, on tirait des câbles sur le bitume. Un projecteur fut monté sur pied au milieu de la chaussée et, lorsqu'on l'alluma, le van apparut devant nous dans la nuit dans les clartés magiques d'un faisceau de lumière blanche de cinéma. Deux lads descendirent de la cabine de pilotage du camion, vêtus d'identiques polos roses aux armes de leur haras, en pantalon et bottes de cheval, et déplièrent le plan incliné qui devait permettre au cheval de descendre sur la terre ferme. Je me fis apporter les gilets de sécurité autoréfléchissants orange et jaune que j'avais été choisir la veille dans un marché de Guangzhou, et, tandis que j'échangeais quelques mots en anglais avec l'opérateur en jetant un coup d'œil dans l'œilleton de la caméra, je chargeai Lilas d'aller demander aux lads s'ils voulaient bien revêtir ces gilets par-dessus leur polo, mais elle n'eut pas le temps de s'adresser à eux, ils avaient déjà disparu au fond du van et réapparaissaient

avec le cheval, qu'ils faisaient descendre lentement sur le plan incliné, sans tenir aucun compte
de la caméra, des éventuelles indications que
j'aurais pu leur donner, et, surtout, point qu'il ne
faut jamais sous-estimer au cinéma, que nous
n'étions pas prêts. Je voulus refaire la prise immédiatement, j'avais besoin de cette première apparition du cheval dans la nuit, mais Lilas, après un
bref conciliabule avec les lads, revint me dire que
ce n'était pas possible, que le cheval ne voudrait
jamais remonter dans le van maintenant (après
deux heures de route, mets-toi à sa place, me
dit-elle). Je gardai mon sang-froid, je ne hurlai
pas : « Mais qui décide ici, c'est moi ou c'est le
cheval ! » (car je savais qu'on me répondrait, avec
calme, le cheval). Nous nous transportâmes alors
tous, équipe et matériel, à l'intérieur de l'école
d'aviation, et je dus me contenter, tout au long de
la soirée, de suivre le bon vouloir du cheval et des
deux lads de sa protection rapprochée, qui, tels
des hommes de main inaccessibles et ténébreux,
veillaient jalousement sur ses intérêts. Pour tourner les plans de mon film (quasiment aucun de
ceux que j'avais prévus au départ), nous courions
à reculons sur la piste de l'école d'aviation, caméra
à l'épaule, à côté du cheval, qu'un lad promenait
impassiblement en le tenant par la longe, nous
rapprochant ou nous éloignant de sa tête équine
indifférente. Parfois, pour varier les plaisirs, nous

67

posions la caméra sur un pied et nous suivions le pur-sang à distance au téléobjectif, tandis que les lads continuaient de le faire déambuler sur la piste de l'école d'aviation. Il s'avéra d'ailleurs, que, pas plus qu'au cheval, qui ne tenait jamais compte des indications qu'on lui donnait (à croire qu'il ne comprenait pas le chinois), je ne pouvais non plus m'adresser aux lads, qui ignoraient souverainement les recommandations de déplacement ou les consignes de jeu que je leur transmettais, via Lilas, ou l'opérateur, qui se mettait lui aussi de la partie, l'un et l'autre en bordure du plateau, qui criaient vainement entre leurs mains les indications contradictoires que j'essayais de faire passer. Les lads, qui ne se souciaient que de leur protégé (qui, lui-même, n'en faisait qu'à sa tête), étaient à l'écoute du moindre signe de lassitude invisible que pouvait émettre le cheval. Ils devinaient ses angoisses secrètes, pressentaient ses besoins les plus imperceptibles, précédaient ses désirs. D'ailleurs, à un moment, en plein milieu d'un plan, ils me firent savoir que le cheval était fatigué et qu'ils devaient rentrer au haras — et ce fut fini, c'est ainsi que se termina le tournage.

Le repas était sur le point de s'achever dans la salle à manger du Peach Blossom. Nous avions très bien dîné, mais je ne parvenais pas à me détendre, je restais sur ce sentiment de malaise qu'avait provoqué en moi le commentaire de Chen Tong au sujet du financement de *Zahir*. D'un autre côté, je pouvais comprendre que Chen Tong eût gardé un souvenir mitigé de cette expérience de tournage. N'ayant pas encore vu le résultat final, il pouvait sans doute difficilement imaginer ce que j'avais pu tirer de cet ensemble de plans hétéroclites et décousus (d'une part, le premier soir, de simples plans d'aéroport sans personnages ni action, et de l'autre, le lendemain, des plans d'un cheval hors du temps qui tournait en rond sous la pluie), d'où peut-être son amertume anticipée, pour atténuer une éventuelle déception, quand il verrait le film. Je comprenais d'autant mieux la perplexité de Chen Tong que moi-même, quand j'étais rentré à Bruxelles avec ce matériel disparate, j'avais mis des semaines à comprendre ce que je pourrais faire de cette centaine de plans que, deux soirs de suite, j'avais arrachés au hasard. J'ai tâtonné longtemps avec une assistante monteuse. Je mettais presque une heure pour me rendre chez elle à Braine-l'Alleud — à Braine-l'Alleud ! —, et elle me recevait dans sa chambre à coucher, au premier étage de la maison, pour faire le montage dans cette pièce extraordinairement étroite qui sentait le renfermé (où la présence d'un lit derrière nous ajoutait encore à l'ambiguïté, voire au scabreux, de la situation), et une heure pour rentrer chez moi à Bruxelles à l'issue de ces séances de travail déprimantes, avec un autobus des TEC — Transports En Commun de Wallonie —, qui, tous les matins dans la grisaille pluvieuse, passait devant le Lion de Waterloo, comme pour me rappeler, de façon subliminale et narquoise, la Bérézina.

Et soudain j'entendis un bruit de motos derrière moi dans la salle à manger du Peach Blossom, c'était le son d'au moins une dizaine de Harley-Davidson, qui faisaient trembler sur elles-mêmes les vitres du restaurant, au point de jeter un trouble sur la réalité que j'avais sous les yeux. À mesure que je continuais d'entendre ces bruits de moteur, avec ratés et succession de pétarades qui n'avaient rien à faire ici, je sentais l'ordre du réel vaciller autour de moi. Plus encore que mon oreille, c'était l'intérieur même de mon cerveau que ces bruits atteignaient, comme s'ils étaient parvenus à s'introduire dans mon imagination, là-même où s'élabore le fragile processus de création à l'œuvre dans l'écriture, quand, quel que soit l'endroit où on se trouve physiquement, en Corse ou à Ostende, on peut invoquer mentalement un lieu imaginaire et le faire apparaître dans son esprit, comme une scène de théâtre vide, sur laquelle on peut non seulement réactiver des épisodes du passé, mais également faire jouer des créations nouvelles, inventées, romancées, qui, en

70

partant de la réalité et en s'en inspirant, transfigurent le réel en l'agrémentant d'éléments de fiction, de rêve éveillé et de fantasmes. Je continuais d'entendre au loin le son caractéristique de ces moteurs de Harley-Davidson, qui, à chaque nouveau mouvement des pistons, semblait faire basculer les moteurs d'avant en arrière dans un bouquet de tremblements et de vibrations, auxquels venaient se mêler maintenant des éclats de voix humaines, quelques paroles diffuses dans une langue familière qui pouvait être l'italien, et la matérialité physique de ces sons, leur texture, leur résonance, l'écho qu'ils éveillaient en moi, me ramenaient, par leur extrême prosaïsme, à la réalité du monde extérieur, et me détachaient en quelque sorte, m'arrachaient de l'endroit fragile où je me trouvais mentalement dans la fiction que j'étais en train d'écrire, où j'essayais pourtant de me maintenir, de me retenir en pensées, de m'accrocher, m'efforçant de rester encore un peu assis là avec Chen Tong et les siens dans la salle à manger du Peach Blossom, autour de cette table pas encore débarrassée, avec la nappe blanche couverte de taches de sauce et de plats entamés, de bols maculés et de baguettes en désordre, dans cet univers de fiction que j'avais moi-même créé qui semblait appareiller sous mes yeux, comme si je le voyais soudain se mettre en branle et s'éloigner de moi, tel un grand un navire sur le départ qui prenait lentement le large, tandis que je voyais avec impuissance s'éloigner de moi le groupe de mes compagnons de table dans la salle à manger du Peach Blossom, comme si j'avais été le seul à rester sur le quai, et que eux trois, accoudés au bastingage, me faisaient leurs adieux sans un geste d'au revoir, le visage figé et immobile, comme des chimères qui se décomposaient dans mon esprit, se brouillaient, s'affaissaient, s'estompaient toujours davantage et finissaient par disparaître, pour me laisser seul dans la grande pièce de la maison de Barcaggio, interrompu dans mon travail, l'oreille importunée par ces bruits de moteur qui continuaient de me parvenir, comme si les motos s'étaient garées sur la terrasse de la maison où j'étais en train d'écrire, ou, que, après avoir tourné interminablement au ralenti sur la place du village en faisant vibrer leur moteur, n'ayant pas trouvé de meilleur endroit où se poser, elles s'étaient garées dans mon cerveau.

Et je me rendis compte alors que, de même qu'en physique, on dénombre quatre interactions fondamentales qui expliquent tous les phénomènes de l'Univers, ici même, dans le livre que j'étais en train d'écrire, il y avait non seulement une interaction forte et constante entre le passé et le présent (entre les souvenirs de mes précédents voyages en Chine et les événements que j'étais en train de décrire), mais aussi une interaction, qu'on pourrait dire faible ou épisodique, entre la réalité et la fiction, entre les événements que j'étais en train de vivre ce soir à Guangzhou dans la réalité et certaines scènes de fiction que j'avais imaginées dans *Fuir*. Mais, coiffant ces deux interactions, et les fédérant en quelque sorte, les augmentant encore et les transcendant, je découvrais maintenant une troisième interaction qui agissait dans mon livre, inconnue à ce jour, qui n'était pas les entrelacements du passé et du présent, et pas même les imbrications de la réalité et de la fiction, mais l'interpénétration en temps réel de la scène que j'étais en train d'écrire et du monde extérieur, les noces vénéneuses entre mon livre et le présent du monde, dans ce qu'il a de plus tangible, bruyant et concret. En entendant s'élever entre les pages de mon livre ces bruits de moteurs de Harley-Davidson, je venais de faire la douloureuse expérience que la réalité extérieure pouvait, à tout moment, par effraction, entrer dans ma fiction.

Ce n'était certes pas la première fois que j'étais ainsi dérangé pendant l'écriture d'un livre par les bruits extérieurs du monde. Il suffit de se mettre à écrire pour se rendre compte que le monde entier est en travaux. Partout, on bâtit, on détruit, on rénove. Je ne sais combien de stridulations de scies circulaires ont résonné entre mes phrases.

Quand ce ne sont pas les grandes orgues d'un chantier public, avec pelleteuses et excavatrices, qui font trembler le voisinage, c'est le bourdonnement insidieux d'une perceuse électrique chez les voisins qui me déconcentre, c'est le chuchotement diffus d'une conversation au loin, c'est le murmure étouffé d'un poste de radio ou d'un téléviseur qui me parvient à travers la fine paroi qui me sépare de l'appartement mitoyen à Ostende. Quand j'écris, je développe une sensibilité auditive acérée : mon ouïe est aux aguets, à l'instar de mon cerveau à l'affût, et je parviens à identifier des bruits parasites quasiment indécelables à des kilomètres à la ronde, aussi bien l'entêtant grincement continu d'un monte-charge qui hisse un meuble sur la digue d'Ostende que le frémissement d'une débroussailleuse qui se fait entendre dans le maquis à six cents mètres de là dans mon bureau de Barcaggio. Dans la vie courante, on ne remarque généralement pas ces mille bruits parasites du monde, mais, dès qu'on s'installe à une table pour écrire, on les perçoit avec une acuité exacerbée, comme un ingénieur du son, qui, dès le moment où il met son casque sur sa tête, repère aussitôt les moindres altérations du silence sur le plateau.

Quand j'écris, je voudrais pouvoir m'abstraire du monde réel pour me fondre dans la fiction.

Pourquoi continuerais-je à écrire, si, chaque fois que je parviens à m'échapper dans l'imaginaire et que, emporté par mon livre, je me crois protégé des douleurs de l'existence et des blessures du réel, la réalité vient se rappeler à mon bon souvenir par la piqûre de rappel d'un bruit exaspérant qui me déconcentre ? Combien de fois, pendant que j'écrivais telle phrase, n'ai-je entendu vibrer dans les brumes de mon esprit concentré l'alarme de recul bitonal d'un engin de chantier qui faisait marche arrière et dont le bip intermittent, régulier, ulcérant, venait se vriller obsessionnellement dans mes pensées, tandis que je m'efforçais de préserver le fil délicat, toujours sur le point de se rompre, de la scène fictive que j'étais en train d'imaginer. Je voudrais, quand j'écris, que mon cerveau soit une pièce étanche, hermétiquement fermée, coupée du monde, mais je sais qu'au plafond de cette pièce, parfois, le revêtement se lézarde, l'humidité s'accumule et la peinture gonfle — et soudain, au beau milieu d'une phrase, je reçois une goutte sur le nez. Il y a une fuite au plafond, le monde extérieur s'invite dans mon esprit.

Mais si, d'ordinaire, on évite d'évoquer cette interaction entre le livre qu'on écrit et le monde extérieur, n'interrompant pas son roman à tout bout de champ pour se plaindre auprès du lecteur chaque fois que, du monde extérieur, nous parvient une menace, une contrariété, un obstacle ou un désagrément, pour préserver le pacte tacite de la fiction, qui, s'il venait à être rompu, briserait l'effet de réel qu'on s'évertue à construire, et ferait vaciller la perception du lecteur, il ne me gêne nullement, aujourd'hui, de faire état de ces interférences qui accompagnent l'écriture, de les révéler au grand jour, car c'est, en somme, je m'en rends compte à l'instant, le sujet de mon livre. Longtemps, j'ai cru que le sujet de mon livre, c'était l'évocation du tournage de *The Honey Dress*, ou, plus largement, que c'était Chen Tong lui-même, et, à travers lui, à travers notre amitié et sa personnalité particulière, une façon pour moi de rendre compte, de façon subjective, de mon expérience de la Chine au début du XXIe siècle. Je me trompais. Le sujet de mon livre, c'est le pouvoir qu'a la littérature d'aimanter du vivant.

Le sujet de mon livre, c'est le hasard dans l'écriture, c'est la *disponibilité* au hasard que requiert toute création artistique, aussi bien le livre que je suis en train d'écrire que le film que je m'apprête à tourner dans les prochains jours. Lorsque j'écris « dans les prochains jours », comme je viens de le faire à l'instant, je sous-entends un présent de référence, qui ne peut être en l'occurrence que celui du soir de mon arrivée à Guangzhou pour tourner *The Honey Dress* (c'est le temps romanesque de « ce soir », ce soir où je me trouve en compagnie de Chen Tong dans la salle à manger du Peach Blossom quelques heures après mon arrivée en Chine), mais j'ai bien conscience qu'il y a d'autres « présent » dans ce livre, et que, selon que je décrive le tournage de *Zahir* comme je l'ai fait dans les pages précédentes, ou que j'évoquerai la préparation de *The Honey Dress*, comme je le ferai dans la deuxième partie de ce livre, le présent considéré sera tantôt décembre 2012 (pour *Zahir*), tantôt novembre 2014 (pour *The Honey Dress*). À cette première incertitude du présent, à la relativité qui lui est inhérente, s'ajoute que le temps de l'action décrite n'est évidemment pas le temps de l'écriture du livre. Il n'y a pas un seul et unique instant de l'écriture, on n'écrit pas un livre d'une seule haleine de la première à la dernière page. Loin de là. J'ai écrit ce livre par sessions successives (mars 2014, juin 2014, septembre 2015, janvier-février 2016, septembre 2016, janvier 2017), et, à chaque fois, à chaque nouvelle session, je relis intégralement le manuscrit en cours, je le corrige et je l'amende, je le reprends, je le transforme, de sorte que, si je souhaite introduire l'idée que c'est « aujourd'hui » que j'écris, et que je veux dater précisément cet « aujourd'hui » dans le livre, ce sera aussi bien « aujourd'hui, 12 mars 2014, à Ostende », que « aujourd'hui, 17 juin 2014, à Barcaggio », ou « aujourd'hui, 26 janvier 2016, à Ostende » (qui, entre parenthèses, est la date d'aujourd'hui, mais cela ne saurait durer, nous sommes déjà le 9 septembre 2016 à Barcaggio quand je relis ces lignes), chacun de ces « aujourd'hui » étant bien sûr pertinent au moment où je l'écris, même s'il se fane immédiatement (et que nous sommes déjà, aujourd'hui, le 25 janvier 2017), de sorte que, à chaque nouvelle relecture, je suis confronté à un dilemme : soit corriger sans fin la date d'aujourd'hui et la remettre à jour en permanence, soit ne toucher à rien et laisser ces divers « aujourd'hui » caduques et contradictoires se superposer les uns aux autres dans le texte au-dessus de cette date romanesque du 21 novembre 2014, qui est celle de mon arrivée à Guangzhou pour le tournage de *The Honey Dress*.

La probabilité qu'un livre achevé ait été écrit exactement comme il a été écrit est quasi nulle. À chaque moment de la création d'un livre, de même qu'à chaque instant de la vie, se présentent à nous des choix à faire, des décisions à prendre, qui, selon les orientations qu'on prendra, figeront à jamais l'avenir. On aurait pu faire un autre choix, prendre une autre décision, et la vie alors, ou le livre, se seraient alors engagés dans une autre direction. Il y a sans doute un chemin inéluctable qui nous attend, derrière les multiples embranchements, aiguillages et bifurcations auxquels nous sommes confrontés, mais ce n'est qu'une fois le parcours terminé que le chemin sera lisible, et transformera en fatalité ce qui n'était, en temps réel, qu'une succession de sélections ponctuelles dans le réservoir des possibilités romanesques infinies qui s'offrent à nous. Le livre qu'on termine, comme la vie qui s'achève, clôt définitivement cette ouverture aux possibles. L'œuvre, ou la vie, se referme au vent des fortuits, et devient la fatalité qu'elle devait être.

Mais la fatalité d'un livre terminé est riche de toutes les potentialités écartées, qui l'habitent et le hantent de façon invisible. Comme dans ces attractions foraines, qu'on appelle Palais des glaces, il n'y aura toujours, à l'arrivée, qu'une seule sortie. On aura beau s'égarer en chemin, on aura beau cheminer à tâtons pendant l'élaboration du livre, les innombrables bifurcations qui se présentent à nous, les détours et les fausses routes auxquels nous sommes confrontés, ne nous empêcheront jamais de retrouver *in fine* la sortie. Si le tracé du chemin, l'itinéraire qu'on aura suivi, relève du fortuit, la nécessité de la sortie est du ressort du fatal. Aucune bifurcation, aussi déterminante soit-elle, aussi cruciale peut-elle sembler sur le moment, ne nous fera jamais trouver une autre sortie du labyrinthe. Un autre itinéraire oui, une autre manière de parcourir le chemin, certainement. Mais, dès lors que nous nous sommes engagés dans l'écriture d'un livre, il obéit à une fatalité qui nous dépasse. En somme, la fatalité que l'œuvre porte en elle est irréductible à la somme des hasards qui la composent.

Chaque livre achevé est une somme de hasards infinitésimaux, qui sont comme autant de fleurs recueillies sur le bord de la route, que l'on cueille en chemin pour les intégrer à la pâte romanesque en cours. Ces multiples hasards qualifient l'œuvre, ils l'émaillent, ils la colorent, mais ils ne modifient pas essentiellement sa nécessité. J'ai toujours été fasciné par cette part irréductible de hasard qui entre nécessairement en jeu dans la réalisation de l'œuvre d'art la plus concertée. Il y avait déjà, dans *Nue*, une réflexion sur la place du hasard dans la création artistique. La réflexion partait du constat que, dans la dualité inhérente à la création — ce qu'on contrôle, ce qui échappe —, même si tous nos efforts conscients portent sur ce qu'on contrôle, c'était peut-être ce qui nous échappe qui est le plus intéressant. De cette constatation découlait le fait qu'il fallait peut-être essayer de contrôler ce qui nous échappe. Or, par définition, c'est impossible : si cela nous échappe, c'est qu'on ne peut pas le contrôler. Contrôler l'imprévisible ne peut donc être qu'une quête inaccessible, un fantasme. Mais, ce que je peux faire, ce sur quoi je peux agir, c'est accueillir le hasard, le laisser entrer dans les pages de mon livre ou dans la réalisation de mon film, et non le rejeter, comme s'il constituait une menace pour la toute-puissance de mon statut de créateur. On n'en est pas moins créateur si on est capable d'accueillir le hasard dans son œuvre. Au contraire. La vie, alors, par le truchement de l'imprévu et de l'accidentel, entre par effraction dans l'œuvre et la met en mouvement, l'ébranle, la secoue, l'émeut, la bouleverse, la vivifie.

Lorsque j'ai imaginé la mort du père de Marie dans *Faire l'amour*, je n'avais pas encore connu l'expérience de la mort d'un parent proche. Maintenant mon père est mort, et je pense à lui, aujourd'hui, à Ostende, où j'écris ces lignes, en passant devant ce restaurant Stuart qu'il affectionnait (parce que la plupart des clients étaient plus vieux que lui, me disait-il avec une pointe d'autosatisfaction), et je ne peux m'empêcher de penser qu'il aurait été heureux d'aller déjeuner aujourd'hui dans ce restaurant d'Ostende en ces premiers jours ensoleillés de mars 2014 (je ne corrige pas la date, déjà lointaine, qui témoigne de la première rédaction de ce texte, de la première ébauche de ce qui deviendrait ce livre). Tant de versions se succèdent, tant de lieux d'écriture se superposent au gré de mes relectures, et cette date de mars 2014, si proche de la mort de mon père, s'éloigne elle aussi lentement de moi maintenant. C'est peut-être une des réflexions les plus inattendues que je me suis faites depuis la mort de mon père : je trouve que la mort ne lui va pas, c'est comme un vêtement dans lequel on ne le reconnaîtrait pas, un état qui ne lui sied pas. Je me souviens du mot d'enfant de Jean, mon fils, qui nous avait demandé un jour au sujet de son autre grand-père : « Mais Papi, il n'en a pas marre d'être mort ? » Et j'imagine alors, connaissant l'impatience de mon père, radicale, épidermique, combien, oui, sans doute, mon père doit déjà en avoir marre d'être mort. Heureusement, ce qu'il est maintenant, ce qui reste de lui — plus rien, nous venons de disperser ses cendres dans la mer du Nord — ne connaît pas la souffrance d'avoir conscience d'être dans cet état qu'il refusait de tout son être. N'étant plus nulle part physiquement, sa réalité n'est que mentale, dans notre cœur et dans notre mémoire. Si je me permets cette confidence — qui n'a, apparemment, pas sa place dans ce livre —, et que je le fais en toute transparence, en nommant Ostende où je suis réellement en ce moment et en parlant de mon père alors qu'il s'agit bien de mon père, ce qui pourrait apparaître comme de la maladresse, ou un élan de franchise mal maîtrisée, sans prendre soin, en quelque sorte, de dissimuler mon émotion derrière l'abri de la fiction ou le paravent des personnages, c'est que je crois précisément que les livres peuvent et doivent être capables d'accueillir les émotions qui nous traversent, et pourquoi pas au moment même où elles nous traversent, qu'ils s'en trouvent alors stimulés, et sortent un instant le lecteur assoupi du ronronnement de la lecture, avec un saisissement d'autant plus fort que l'aveu donnera l'impression d'avoir échappé à l'auteur.

Que signifie avoir le contrôle absolu de son œuvre ? Cela semble une évidence pour un livre. C'est l'écrivain qui imagine toutes les scènes et choisit tous les mots qui entrent dans sa composition. D'une certaine façon, même si c'est la vie qui l'inspire et le monde qui le nourrit, un livre est un corps étanche, dans lequel n'entrent pas d'éléments exogènes, sans l'aval de l'auteur. C'est également le cas pour un film quand on tourne en studio. On a alors les mêmes conditions de création que pour un livre. Il s'agit de nouveau de tout créer à partir de rien, les quatre murs vides du studio sont la page blanche qui nous attend. La réalité extérieure ne joue aucun rôle, le film est indifférent au monde environnant. Même si l'orage gronde derrière les murs, il ne pleut pas dans les plans que l'on tourne en studio. Mais, quand on tourne un film en Chine, c'est comme si une fenêtre s'ouvrait à l'improviste dans la pièce où on travaille et que les portes se mettaient à claquer, les papiers à s'envoler, sous l'effet d'un courant d'air irrépressible. C'est le tourbillon du monde extérieur, bruyant, brouillon, imprévisible, qui fait irruption dans notre travail et qui bouscule l'action du film qu'on est en train de tourner, s'insinue dans les décors, se glisse entre les personnages, avec son tohu-bohu, ses couleurs, ses odeurs, son chaos, ses incidents qui nous contrarient, ses contretemps qui nous enlisent, ses klaxons qui s'incrustent dans la bande-son, ses chevaux qui hennissent, ses phares qui viennent se difracter dans l'image.

Le dîner touchait à sa fin dans la salle à manger du Peach Blossom, et Chen Tong fumait avec lenteur devant une tasse de thé. Le visage de profil, il considérait pensivement la fumée qui s'échappait du bout incandescent de sa cigarette. Il leva le bras pour demander l'addition à une serveuse, et nous échangeâmes encore quelques mots au sujet du film avant de nous séparer. J'avais conscience que nous n'avions pas beaucoup progressé ce soir. Les questions les plus urgentes pour moi, celles qui me préoccupaient le plus pour l'instant — le choix du décor, l'organisation d'un casting pour trouver l'actrice qui jouerait le rôle principal —, n'avaient même pas été abordées. Par ailleurs, j'avais compris assez vite que j'avais mal choisi ma date d'arrivée en Chine, c'était une mauvaise idée d'arriver à Guangzhou un vendredi soir, les bureaux de Chen Tong étaient fermés le week-end, et nous ne pourrions commencer à travailler que le lundi matin. Bref, en raison de mon manque d'anticipation, nous allions entreprendre la préparation du film par deux jours de battement. Malgré mes efforts pour obtenir quelques informations tangibles sur le tournage (au sujet de l'équipe technique qui allait travailler avec moi, par exemple), Chen Tong continuait de se montrer évasif. Finalement, pour en avoir le cœur net, je lui demandai s'il avait reçu les différents courriers que je lui avais envoyés, avec le scénario, la note technique, le plan de travail. Il réfléchit, se pencha vers Lea pour échanger quelques mots avec elle en aparté (pour une vérification quelconque, ou se faire confirmer une date, je ne sais pas), puis il me fit une réponse très longue en chinois, d'où il ressortait que oui, il les avait bien reçus. Et il les a lus ? dis-je. Xiaoyang lui traduisit la question, et Chen Tong, de l'autre côté de la table, tira une bouffée de cigarette, posa la cigarette dans le cendrier et se lança de nouveau dans de longues et circonstanciées explications en chinois, que Xiaoyang se contenta de traduire sobrement par : « Non » (non, Chen Tong n'avait pas lu le scénario).

II

THE HONEY DRESS

Le lundi matin, Chen Tong vint me chercher à l'hôtel à dix heures. On chargea ma valise dans le coffre, et la voiture s'engagea dans la circulation, laissant la haute silhouette de l'hôtel Garden derrière nous. Le ciel était bleu, l'atmosphère très claire, loin des éternelles brumes de chaleur et de pollution dont la ville est si souvent recouverte. J'avais quitté Bruxelles quelques jours plus tôt en plein hiver (temps gris et température voisine de zéro), et j'arrivais à Guangzhou fin novembre, où la température frôlait les 30 °C. Une des constantes de mes voyages en Chine était que, du matin quand on venait me chercher, au soir, quand on me ramenait à l'hôtel, je me laissais porter par les événements, je ne posais pas de questions, ce qui ne voulait pas dire que je ne cherchais pas à comprendre, car mon esprit sur le qui-vive fonctionnait activement pour essayer d'éclaircir les situations auxquelles j'avais à faire face et de deviner l'enjeu de tel ou tel déplacement. Ainsi, ce matin, non seulement je ne savais pas dans quel hôtel on allait me conduire (Chen Tong avait prévu de me changer d'hôtel et m'avait demandé de prendre ma valise avec moi), mais surtout j'ignorais quand nous allions commencer la préparation du film. Tout se passait comme si toutes ces questions, qui pourtant me regardaient au premier chef, ne me concernaient pas, étaient des questions qu'on n'abordait pas avec moi. Il faut dire également que l'absence d'interprète francophone ce matin ne facilitait pas la communication.

C'est Sue, ces jours-ci, en l'absence de Xiaoyang retenue par des obligations professionnelles, qui serait mon interprète en anglais. Je connaissais Sue de mon précédent voyage en 2012. Cheveux noirs coupés court à la Louise Brooks, très mince, les poignets fins, le visage angulaire, elle était la cheville ouvrière de Video Bureau, le dernier projet initié par Chen Tong, qui consistait à archiver l'intégralité des œuvres d'artistes contemporains pour les offrir en consultation libre dans deux espaces dédiés, un à Guangzhou et un à Pékin. La collection comptait déjà à ce jour un catalogue de plus de quarante artistes. Sue était responsable du projet à Guangzhou, c'est elle qui était chargée de la collecte des œuvres et de la rédaction des notices. Sue, curieusement, m'intimidait, elle avait une façon cash de regarder dans les yeux et parlait un anglais impeccable, avec une connaissance achevée du vocabulaire *high tech*. Nous roulions dans la ville, et je ne disais rien. Parfois, mon regard s'aiguisait un instant pour suivre des yeux une conversation en chinois entre Chen Tong et Sue (mon œil passait de l'un à l'autre, et je saisissais quelques mots au vol). Chen Tong, assis à côté du chauffeur, avait sorti une liasse de papiers de sa serviette qu'il parcourait du regard d'un air absorbé derrière ses lunettes. De mon siège, jetant un coup d'œil par-dessus son épaule, je m'aperçus avec plaisir qu'il était en train de lire le scénario de *The Honey Dress*.

Dans la voiture, Sue finit par m'informer que nous allions visiter un décor (*we are looking for a stage*, me dit-elle). J'ignorais si le décor que nous allions visiter avait déjà été repéré auparavant par quelqu'un de l'équipe de Chen Tong, si on avait estimé que cela pouvait convenir, voire s'il était déjà décidé que c'est là que nous allions tourner, et qu'on voulait simplement me faire confirmer que ce choix m'agréait. Nous passâmes les portes vitrées d'un grand immeuble de bureaux, et je sentais l'excitation me gagner. Voilà, c'était parti, nous allions visiter un premier décor, la préparation était lancée. Fausse alerte, l'ascenseur ne fonctionnait pas. Nous regagnâmes la voiture après cet assez absurde aller-retour. Fin de la visite des décors pour la matinée.

Pendant le déjeuner, nous eûmes notre vraie première conversation au sujet du film. Chen Tong se demandait ce que j'entendais exactement par « robe en miel », et si cela impliquait de devoir recouvrir intégralement une actrice de miel. Pendant les derniers jours, à Bruxelles, inquiet moi aussi à cette perspective, et réfléchissant aux moyens de limiter les effets déplaisants de l'intervention, je m'étais renseigné sur Internet et j'avais découvert l'existence de la cire d'abeilles, un produit naturel utilisé aussi bien en cosmétique qu'à des fins thérapeutiques, en raison de ses vertus émollientes, hydratantes et protectrices. J'expliquais à Chen Tong qu'on pourrait peut-être utiliser cette cire (c'est Sue qui traduisait, et je ne savais pas dire « cire » en anglais). Après consultation d'un dictionnaire en ligne sur le téléphone de Sue, il apparut qu'on disait « wax », et, passé cet intermède lexical, je pus reprendre mes explications en disant qu'on pourrait peut-être utiliser cette « wax », plutôt que du vrai miel, pour recouvrir le corps de l'actrice. C'était là — alors que nous n'avions ni décor ni actrice — une des questions qui, bizarrement, me préoccupaient le plus pour le tournage, comment faire accepter à l'actrice que nous aurions choisie de se faire recouvrir intégralement de miel. Or, il s'avéra que le miel ne fut jamais un problème pour aucune des actrices pressenties pour le rôle, aucune n'émit la moindre réserve sur la question. En somme, c'était comme s'il y avait eu dans mon scénario une scène où une jeune femme devait se doucher, et que le seul problème que, comme réalisateur, j'avais repéré, et dont je parlais à l'actrice avec de prudentes et pudiques pincettes, ce n'était pas que, dans cette scène, elle allait devoir jouer nue, c'est que son corps allait être recouvert d'eau.

Après le déjeuner, nous poursuivîmes nos visites de repérage pour le film. Nous roulâmes assez longtemps dans la ville. Entre deux moments de long silence, où chacun restait absorbé dans ses pensées, reprenant avec Chen Tong la conversation sur le miel que nous avions interrompue à la fin du déjeuner, il me fit savoir qu'il avait trouvé un apiculteur à la campagne, et il était en train de m'expliquer comment il était entré en contact avec lui, quand, à l'approche de ses bureaux, le chauffeur se gara le long du trottoir, et, dans un véritable tour de passe-passe exécuté avec souplesse, la portière avant s'ouvrit, Chen Tong descendit et une jeune femme prit sa place à l'avant de la voiture, alors que Chen Tong, debout sur le trottoir, me faisait déjà un petit coucou tandis que la voiture redémarrait. La jeune femme qui venait d'entrer dans la voiture se retourna et me sourit, un peu gênée. Assis à l'arrière, j'avais assisté sans un mot à la scène de l'escamotage de Chen Tong en plein milieu d'une phrase et à son remplacement par cette jeune femme intimidée. J'étais sur le point de répondre quelque chose à Chen Tong au sujet de l'apiculteur (nos conversations, en raison du délai inhérent à la traduction, avaient souvent un temps de décalage, comme lorsque, à la radio, un journaliste s'adresse en direct à un confrère qui se trouve sur un autre continent, ce qui ne favorise évidemment pas les réponses du tac au tac), mais, me rendant compte que j'avais manifestement un temps de retard, et que c'était maintenant à la jeune femme qui venait de prendre la place de Chen Tong que ma réponse eût été adressée si j'avais poursuivi la conversation, je ne dis rien, ne voulant pas la troubler davantage. Ce n'était pas la première fois, en Chine, que j'étais témoin de telles scènes, sans doute banales, et qui devaient certainement avoir une explication rationnelle si on voulait creuser davantage la question, mais qui prenaient pour moi un tour parfaitement incompréhensible. Par la suite, j'avais pu reconstituer que Chen Tong nous avait quittés parce qu'il devait donner un cours à l'École des Beaux-Arts, et que la jeune femme qui nous avait rejoints prendrait le relais de Sue pour m'emmener dîner et me ramener à l'hôtel, Chen Tong étant retenu toute la soirée et ne pouvant s'occuper de moi ce soir-là (Chen Tong, en fait, avait toujours plusieurs coups d'avance dans l'anticipation des situations les plus complexes).

Le chauffeur nous avait déposés à l'entrée d'une zone d'habitations, et nous nous étions engagés dans un lotissement boisé. Le décor que nous allions visiter se trouvait au seizième étage d'un bâtiment vétuste et apparemment désaffecté, les fenêtres recouvertes de bâches. Nous prîmes un ascenseur aux allures de monte-charge de chantier, qui s'élevait lentement en grinçant, on pouvait repérer des interstices entre les planches mal jointes, qui laissaient apparaître la terre ferme dans le vide vingt mètres plus bas. Cela n'avait rien d'engageant. Ce qui me refroidit encore un peu plus, c'est que Sue me dit, alors que nous étions sur le point d'arriver au seizième étage, qu'il ne fallait pas dire que nous venions ici pour un repérage. On dit quoi, alors ? lui dis-je. On ne dit rien, dit-elle. On sortit avec soulagement de l'ascenseur, qui ne s'était pas, grâce au ciel, écroulé sous nos pieds, et, sans transition, dans un de ces parfaits faux raccords dont la vie a le secret, nous accédâmes à un hall d'accueil vitré flambant neuf, très design, avec un grand comptoir en aluminium laqué. Sue s'avança jusqu'au comptoir et s'adressa à la jeune femme de la réception, tandis que je restais en retrait (sans rien dire, comme convenu). Je regardais autour de moi, observant la grande verrière du plafond. Je demandai à Sue si je pouvais prendre quelques photos. Sue se renseigna auprès de l'hôtesse et se retourna pour me dire que non, pas de photos. Bien, bien (pas idéal pour faire des repérages). Je fis quelques pas sur place, dans un périmètre extrêmement réduit, pour examiner les lieux, il semblait y avoir partout des barrières invisibles que, tacitement, je n'avais pas le droit de franchir. C'était le premier décor que je visitais depuis que j'étais arrivé à Guangzhou, et j'essayais de le regarder avec bienveillance, de voir ses aspects positifs, d'imaginer, dans cet endroit, la scène que je voulais tourner. Deux éléments me plaisaient particulièrement, d'abord la rampe d'accès en bois verni qui descendait de la mezzanine (et qui me rappelait vaguement celle de l'immeuble Spiral à Tokyo, où était censée se passer la scène du roman que je voulais adapter). Mais aussi, et surtout, une pièce vitrée à côté du comptoir d'accueil, avec des vieux plastiques d'emballage froissés qui traînaient par terre et quelques portants abandonnés le long des murs. L'idée me vint alors, en observant cette pièce vitrée qui donnait sur la ville, que c'était ici qu'il fallait tourner la scène des préparatifs de la robe en miel, ici ou dans toute autre pièce vitrée équivalente, de façon à laisser apparaître la ville en arrière-plan. L'idée subsidiaire, c'est qu'il fallait tourner de nuit. Peu importe si, à l'arrivée, on allait tourner dans ce décor ou non, je venais de prendre la première vraie décision de mise en scène pour le film depuis que j'étais arrivé à Guangzhou, et je sortis un petit carnet de ma poche, où je notai « tourner de nuit ». Je rejoignis Sue devant le comptoir et je lui demandai si la personne qui devait nous faire visiter les lieux était arrivée, mais elle me dit que personne ne devait nous accueillir, et que, si j'avais fini mes repérages, on pouvait y aller. Nous reprîmes l'ascenseur et je dis à Sue que le décor me plaisait, que, pour moi, on pouvait tourner ici. Je compris alors (mais je m'en doutais un peu, étant donné la froideur avec laquelle nous avions été accueillis) que nous n'avions pas encore l'autorisation de tourner ici, Chen Tong n'en avait pas encore parlé au propriétaire des lieux.

Le lendemain, au déjeuner que nous prîmes dans un restaurant à proximité des bureaux de Chen Tong, une quinzaine de personnes m'attendaient dans la grande salle à manger privée où je fus introduit, qui bavardaient en chinois, debout ou déjà attablées, dans un désordre de sacs, de blousons entassés sur le dossier des sièges et de téléphones qui rechargeaient par terre aux différentes prises électriques de la pièce. Il y a toujours, en Chine, une façon de s'approprier les salons privés des restaurants, on y est chez soi, entre soi, tandis qu'un ballet de serveurs voués au bien-être de l'assistance apportent le thé et les différents plats, entrant et refermant à chaque fois soigneusement la porte derrière eux. Une place libre m'avait été laissée à côté de Sue autour de la grande table ronde. Je pris place et saluai Chen Tong à distance. Assis là dans cette salle à manger, je me retrouvais de nouveau dans cette position familière que j'avais tant de fois expérimentée en Chine, seul Européen dans une assemblée exclusivement chinoise, à la fois hôte de marque et léger boulet objectif, qui empêchait la compagnie de s'exprimer librement, bruyamment, et exclusivement en chinois. Cet interdit tacite fondait d'ailleurs assez vite, tombait même tout à fait à mesure qu'on apportait les plats. J'ai en effet de très nombreux souvenirs de repas en Chine, où, dans les premiers temps, Lilas, mon interprète de toujours, me traduisait tout ce qui se disait autour de la table, comme si elle s'adressait à un chef d'État étranger pendant un dîner officiel, pour me négliger de plus en plus à mesure que le repas se poursuivait, ne me traduisant plus qu'une phrase à l'occasion, et seulement si elle m'était manifestement destinée et qu'on attendait une réponse de ma part, pour finir par m'oublier tout à fait, et participer elle-même à la conversation en chinois, interrompant tel ou tel convive par une exclamation enjouée qu'elle ponctuait d'un grand mouvement du bras en éclatant de rire. Nous n'en étions pas là. Je venais d'arriver dans le salon privé de ce restaurant, et l'ambiance était encore compassée, personne ne disait grand-chose. On s'observait à distance, on se jaugeait, on échangeait des apartés en chinois. Je ne connaissais personne à part Chen Tong et Sue, mes deux seules balises familières dans cette assemblée de visages inconnus légèrement intimidante. Je reconnus encore Lea, à côté de Chen Tong, ainsi que la jeune femme inconnue qui nous avait accompagnés la veille, plus peut-être un ou deux visages que j'avais déjà croisés lors de mes précédents séjours. Qui étaient tous ces gens ? Chen Tong, alors, prit la parole, faisant un long discours en chinois, dans lequel perçait un certain formalisme et une once de solennité, discours que Sue me résuma d'une seule phrase, en ouvrant la main pour me présenter l'assistance d'un geste enveloppant : « *It's your crew.* »

Ainsi, c'était eux, autour de la table, l'équipe technique que Chen Tong avait constituée pour le film. Mais, sur le moment, aucun de ces visages qui, dans les prochains jours, me deviendraient familiers, ne se distinguait encore vraiment, ne se singularisait de l'ensemble, aucun ne ressortait de l'espèce de nappe de brume qui me semblait envelopper la table et les faisait disparaître dans un brouillard parfaitement indifférencié. Tous ces visages me semblaient équivalents, pareils à leurs noms chinois interchangeables, Feng Junhua, Feng Hanting, Feng Zhiyi, Huang Desi, Huang Yeda, Peng Wenbiao. Ce n'est que rétrospectivement, en sachant qu'ils avaient dû tous être présents à ce déjeuner, que j'aurais pu reconnaître là, si j'avais pu m'y replonger en pensées, assis autour de la grande table ronde de ce restaurant, Peng Wenbiao, qui serait mon opérateur pour le film, Desi, l'étudiant en peinture chinoise traditionnelle, ou Yeda, qui s'occuperait des diodes électroluminescentes de la robe, avec son visage rond et l'étincelle rieuse qu'il avait toujours dans l'œil. Chen Tong, attendant une réponse de ma part, une approbation ou un simple commentaire, me demanda s'ils convenaient, mais ce qui me surprit, c'est qu'il me demanda si, physiquement, ils convenaient. J'appréciai l'égard (il est plutôt rare en Europe qu'on choisisse les techniciens sur leur physique). Mais il est vrai que, sur ce point, c'est moi-même qui avais ouvert la voie à l'ambiguïté, en expliquant que, pour jouer le rôle des assistants qui prépareraient la robe en miel dans le film, je ne voulais pas d'acteurs professionnels, mais que ce soient les vrais assistants de Chen Tong qui jouent leur propre rôle. C'est précisément eux que Chen Tong avait réunis lors de ce déjeuner pour me les présenter, et, comme ils risquaient d'apparaître dans le film, il n'était pas illégitime de me demander s'ils pouvaient convenir physiquement. Chen Tong, dans la foulée, me demanda, par l'intermédiaire de Sue, comment ils devaient être habillés. Je répondis que je souhaitais qu'ils portent des blouses blanches, expliquant que je voulais donner un côté assez froid et clinique à la scène. Pour le reste, rien de spécial, des tenues sombres, comme lui ou lui, dis-je en désignant ceux que je ne savais pas encore être Yeda ou Desi, qui portaient déjà ce jour-là le tee-shirt sombre et l'élégant col roulé noir qu'ils porteraient le jour du tournage (puisque Sue leur demanda aussitôt de venir sur le tournage habillés comme ils l'étaient maintenant).

Le déjeuner se poursuivait, une dizaine de plats nous avaient été apportés, et on faisait tourner le plateau lentement, avec deux doigts, en jetant un regard par-dessus la table pour voir si personne n'était en train de se servir, de façon à ne pas couper l'herbe sous le pied d'un convive éloigné, en retirant subitement de sa portée le plat dans lequel il s'apprêtait à plonger ses baguettes. C'est alors que, pour la première fois, on en vint à évoquer l'actrice. En réalité, pour ma part, je m'attendais encore à ce moment-là à ce qu'on organise un casting classique, en fixant un rendez-vous dans les bureaux de Chen Tong, où toutes les candidates pour le rôle auraient pu se présenter. On les aurait auditionnées dans la grande salle de réunion, on aurait fait quelques essais avec elles, après quoi, en bonne intelligence avec Chen Tong, j'aurais fait mon choix, et la question aurait été réglée. Bref, un casting. Il n'en fut rien, et je compris très vite que cela ne se passerait pas du tout comme je l'avais imaginé, et que ce serait beaucoup plus chaotique, improvisé, aventureux et brouillon. Pour anticiper un peu, il y eut, non pas un conflit, et pas même une rivalité, mais une concurrence invisible entre deux personnes de l'équipe de Chen Tong, Desi, d'une part, et Sue elle-même, chacun ayant sa filière propre et connaissant un agent artistique différent pour trouver l'actrice (l'agent de Sue n'étant nul autre que Huang Jianbo, qui avait été mon opérateur pour *Fuir*). Pour l'instant, c'est Sue, qui tenait la corde dans ce duel latent, puisqu'elle m'accompagnait en permanence depuis le début de la préparation (Desi, lui, attendait son heure, silencieux, de l'autre côté de la table). Assise à côté de moi dans la salle à manger, Sue me présentait le catalogue d'actrices qui étaient sous contrat avec l'agent artistique qu'elle connaissait, non pas, à l'ancienne, dans un grand classeur plastifié dont

102

elle eût tourné les pages pour me montrer les modèles disponibles, comme on ferait défiler les différents échantillons dans un nuancier, mais sur un téléphone portable, qu'elle consultait longuement elle-même avant de me le mettre un instant sous les yeux, et que j'essayais de détailler tout en portant mes baguettes à ma bouche. Elle me montrait ces photos d'actrices sans la moindre méthode, de façon purement impulsive, en échangeant parfois au passage une phrase en chinois avec son voisin, avant de me montrer une nouvelle photo, sans se rendre compte qu'il s'agissait de la même actrice, mais dans une autre tenue, ou utilisant même parfois son téléphone pour un tout autre usage, qui paraissait soudain très saugrenu (téléphoner). Jusqu'à présent, elle m'avait présenté quatre actrices, une qui ne me plaisait pas du tout (c'était réglé), et trois autres qui auraient pu convenir, deux blondes et une brune, mais je disposais de trop peu d'éléments pour juger, d'autant que chaque fois que j'essayais de voir les jeunes femmes en pied pour avoir une idée de leur allure, Sue, avec deux doigts, élargissait l'image afin de m'agrandir leur visage sur l'écran de son téléphone. Ce n'est pas que je me désintéressais de leur visage, mais pour un tel rôle, c'est surtout l'allure générale qui importait, la démarche particulière, si tant est qu'on pût la pressentir à partir d'une image fixe. J'avais également conscience de ce que la scène pouvait avoir de cocasse, l'intellectuel que j'étais, des baguettes à la main, entouré d'assistants chinois dans cette salle à manger de Guangzhou, qui faisait la fine bouche devant toutes ces jeunes filles dénudées qu'on lui présentait successivement sur l'écran d'un téléphone, car, par la force des choses, comme c'est une actrice qui devait jouer le rôle d'une mannequin qui défilerait nue et couverte de miel que nous recherchions (on ne cherchait pas une actrice pour jouer le rôle de Hannah Arendt), Sue s'était orientée vers un certain type de physique, et les jeunes filles qu'elle me montrait en photo sur son téléphone étaient toutes plus ou moins dévêtues, on voyait beaucoup d'épaules nues, de corps en maillot de bain, parfois un sein se devinait sous une mousseline vaporeuse. Mais Sue, censeure, veillait à ne me montrer des impétrantes que le visage.

À la fin du déjeuner, nous rejoignîmes les bureaux de Chen Tong à pied. Nous étions une petite quinzaine à traverser Yile Lu, la grande artère passante qu'il faut emprunter pour rejoindre les bureaux. Zigzaguant entre les motos et les voitures qui, ici, ne ralentissent jamais à la vue des piétons (tout au plus consentent-elles à klaxonner pour les éviter), nous nous frayâmes un chemin dans la circulation, notre petit groupe déjà à moitié dispersé, certains étant montés dans un taxi, d'autres s'étant éloignés à pied vers l'École des Beaux-Arts où ils étaient encore étudiants ou déjà professeurs. Chen Tong, le téléphone à l'oreille et sa serviette à la main, s'engagea de sa démarche chaloupée dans l'impasse boisée qui menait à ses bureaux, et je fermais la marche, en laissant traîner mon regard sur l'étal d'un artisan installé au coin de la rue, cordonnier ou brocanteur, qui avait déposé par terre une couverture grisâtre sur laquelle reposaient quelques objets hétéroclites, machine à coudre, vieilles pinces et robinets orphelins. Je poursuivais ma route dans cette impasse ombrée, qui était comme une parenthèse de calme et de verdure au cœur de la ville. À mesure qu'on s'éloignait de Yile Lu, la rumeur de la circulation s'atténuait derrière nous, et on commençait à entendre des pépiement d'oiseaux parmi les klaxons lointains. Il faisait très beau, avec un soleil un peu voilé conforme à ce que je connais du climat de Guangzhou, et je me laissais bercer par la douceur de l'instant, quand, au loin, à travers le feuillage des arbres, je reconnus la silhouette de la belle maison des années 1920 des bureaux de Chen Tong.

J'ai tant de souvenirs dans ces bureaux, qui furent à la fois notre quartier général et notre base arrière pour tous les tournages que je suis venu faire en Chine, avec la grande pièce du premier étage, à la fois bureau personnel de Chen Tong et salle de réunion, et la vaste salle du rez-de-chaussée, avec son carrelage lie-de-vin aux motifs crème en losanges, pièce où il faisait à jamais froid dans mon esprit, comme si elle garderait de toute éternité l'humidité pénétrante que j'y ai ressentie la première fois que j'y ai mis les pieds à l'hiver 2008 pour le tournage de *Fuir*, quand nous entassions les caisses de matériel sur le carrelage, cette même pièce glaciale où, en février 2008, au moment de la mort de Robbe-Grillet, une équipe de télévision de Shanghai était venue interviewer Chen Tong, cette pièce polyvalente, avec une vitrine où Chen Tong présentait de la documentation sur le Nouveau Roman et ses plus récentes publications, à la fois salle de conférence pour les artistes de Video Bureau qui venaient présenter leur travail et salle d'exposition, aux murs de laquelle étaient parfois accrochées des œuvres ou des photos. Je n'étais pas encore entré dans la maison, je m'attardais à l'extérieur au bas du perron. Je regardais les néons éteints, vestiges fanés qui subsistaient de l'œuvre lumineuse que j'avais présentée sur la façade du bâtiment lors de l'exposition que j'avais faite ici en 2009. Beaucoup de temps avait passé depuis le soir du vernissage, quand des dizaines de néons multicolores illuminaient la nuit avec les titres de mes livres en français et en chinois, beaucoup de vent et de poussière, de pluie et de tempêtes, et les tubes des néons, à présent, pâles, ternes, blanchâtres, certains ébréchés, avec des fils qui pendouillaient tout autour, s'étaient comme taris et délavés avec le temps.

Je gravis lentement les quelques marches du perron et m'engageai dans la pénombre du vestibule. Je jetai un coup d'œil sur la gauche, où s'ouvrait la vaste bibliothèque vitrée, et je poursuivis mon chemin, j'entrai dans la grande pièce vide, toujours humide dans mon esprit, où une photo de Beckett trônait dans la pénombre au-dessus de la cheminée, comme une figure tutélaire qui veillait sur la maison. Je n'ignore pas que certains lieux ont une âme et gardent la mémoire secrète des heures qu'on y a passées. C'était particulièrement vrai des bureaux de Chen Tong, qui étaient pour moi saturés de souvenirs et de sensations disparues. Je me promenais pensivement entre les pièces du rez-de-chaussée, et chaque pièce dans laquelle je m'arrêtais un instant était comme l'étape d'un pèlerinage, la petite salle d'archives où j'avais préparé un entretien avec Chen Tong, le bureau des secrétaires où j'ai toujours en tête l'image de Lilas en gros pull et anorak attablée en face d'un vieil ordinateur qui était en train de traduire un document pour le film. Je laissais traîner mon regard sur les tables de travail, je regardais les photos punaisées aux murs, et tout me ramenait à des expériences vécues ici. J'avais le sentiment que, depuis que j'avais franchi le seuil de cette maison, en retrouvant son atmosphère, l'aura particulière qui se dégageait de ses murs, c'était reparti, la machine se remettait en route. Pour la première fois depuis mon arrivée à Guangzhou, j'avais le sentiment que la préparation du film était vraiment lancée.

Même si cela se fit de manière très informelle, avec des détours, des méandres et des interruptions, nous fîmes cet après-midi-là un premier point complet de la préparation du film avec les principales personnes concernées. Ce ne fut pas, comme je l'avais espéré, une réunion de travail classique (comme nous le fîmes dès le lendemain, ou le surlendemain, assis tous ensemble dans les grands fauteuils noirs de la salle de réunion, avec cahiers et ordinateurs), mais plutôt un colloque itinérant, à plusieurs participants qui se relayaient auprès de moi. Je passais d'une pièce à l'autre pour régler une question avec l'assistant concerné, montais les escaliers pour rejoindre l'étage, tandis qu'on m'apportait une tasse de ce thé si léger que je mettais un moment avant de me rendre compte qu'il ne s'agissait que d'eau chaude, changeant parfois d'interlocuteur en cours de route, celui à qui je parlais disparaissant soudain sans explications. Tout au long de cette réunion qui s'étirait autant dans l'espace (plus d'une fois nous repassâmes d'un étage à l'autre), que dans le temps, je pus compter, non pas de façon continue, mais intermittente, comme un courant alternatif, sur le secours de Sue pour la traduction, qui s'absentait parfois elle aussi dans son propre bureau pour aller régler des questions relatives au Projet Video Bureau. J'attendais son retour dans le couloir, pour regagner aussitôt la salle de réunion et finir de régler les questions techniques avec Peng Wenbiao et déterminer avec lui le matériel dont nous avions besoin pour le tournage. Nous nous fîmes ouvrir la porte de la réserve, une pièce fermée à clé attenante à la salle de réunion, et nous fîmes un bref inventaire du matériel dont Chen Tong disposait déjà (projecteurs, réflecteurs, pieds et calques).

Sur ces entrefaites arriva aux bureaux Xiao Hui, une jeune créatrice de mode de Guangzhou, qui avait été pressentie pour m'aider dans la préparation et la conception de la robe en miel. Xiao Hui ne faisait pas partie du cercle le plus étroit des collaborateurs de Chen Tong, elle ne travaillait pas pour Video Bureau ou la librairie Borges, deux des multiples sociétés que dirigeait Chen Tong, mais faisait quand même partie, par alliance en quelque sorte, puisqu'elle était la *girlfriend* de

Desi, de la petite coterie cantonaise, férue d'art et francophile, dont Chen Tong faisait figure de *laoshi* (le maître, ou le professeur, dans la tradition chinoise), ou, si l'on préfère une formulation plus aiguisée, de *leader of the gang*. Pour l'heure, Xiao Hui, qui venait d'arriver au bureau, attendait au bas des marches, et regardait autour d'elle, un peu intimidée, ne sachant pas exactement ce qu'on attendait d'elle, personne n'ayant pu le lui expliquer, puisque tout le monde ignorait comment on allait s'y prendre pour réaliser cette robe en miel (moi y compris, pourrais-je ajouter, si je voulais faire de l'esprit à mes dépens).

Au cours des nombreuses réflexions que j'avais menées avant mon départ sur la confection de la robe en miel, il m'est très vite apparu que si nous nous contentions d'enduire une mannequin de miel, la jeune femme qui défilerait ainsi dans le film n'aurait pas tant l'air d'un top model pendant un défilé, que d'une jeune femme simplement nue, déambulant avec une allure de poulet déplumé sur un podium de mode. Il manquait assurément quelque chose pour souligner son allure, une parure, un bijou, un accessoire, qui donnerait une silhouette de gravure de mode à la robe en miel qu'elle porterait. Je ne trouvai la solution à ce problème, qui rôdait depuis longtemps, informulé, dans mon esprit, que quelques semaines avant mon départ en Chine, un jour que j'étais à Londres. Je m'étais rendu un matin au Victoria & Albert Museum et, dans une salle consacrée aux années 1850-1870 (*Fashion and Industry*), je m'étais arrêté pour lire avec intérêt un cartel qui évoquait le développement de l'acier à ressort. Poursuivant ma visite, j'étais alors tombé en arrêt sur ce que je cherchais inconsciemment depuis des mois et que je n'arrivais ni à définir ni à nommer : une simple structure en cercles concentriques vide et sans tissu. C'était exactement cela que je recherchais, et cela avait un nom, une *crinoline*. Il ne faut pas entendre ici le mot crinoline dans son sens habituel de lingerie ou de vaste jupon bouffant, mais dans celui de structure, l'ossature en cerceaux concentriques, souvent en os de baleine, qui supporte le vêtement pour accueillir l'étoffe (et qui, en français, s'appelle aussi *crinoline*). Cela me semblait beaucoup plus satisfaisant, en effet, que la mannequin soit dotée, pour défiler, de cette structure métallique vide, de cette armature sommaire, aérée, simple trame sans tissu qui l'habillerait d'une illusion de robe et donnerait à sa silhouette en miel une grâce, une forme, un élancement, que son simple corps nu couvert de miel ne parviendrait pas à révéler aux spectateurs. Mais je me voyais mal expliquer cela maintenant à Xiao Hui, qui me regardait en silence depuis que nous avions gagné la salle de

111

réunion, et qui, assise en face de moi dans un fauteuil, attendait, en me dévisageant avec gravité, que je lui expose ce que je désirais. Plutôt que de me lancer dans de froufroutantes nuances sémantiques et de hasardeuses explications sur le sens du mot crinoline, et qui plus est en anglais, puisque c'est Sue qui traduisait, je sortis mon téléphone de ma poche et je me soulevai de mon siège pour leur montrer la photo que j'avais prise quelques semaines plus tôt dans la vitrine du Victoria & Albert Museum. Puis, on précisa encore les choses avec un dessin, que Xiao Hui fit dans un cahier à spirales, la mine grave, concentrée, appliquée, et on convint de se revoir dans deux jours.

Le lendemain, Sue vint me chercher à l'hôtel de bonne heure pour aller visiter un nouveau décor. Chen Tong était absent ce matin-là, nous devions le rejoindre en début d'après-midi, et nous ne savions toujours pas si nous avions l'autorisation de tourner dans le premier décor que nous avions visité. Je sentais, malgré tout, que les choses avançaient. Malgré la première impulsion, difficile à donner, pour la préparation de ce tournage, malgré les lenteurs au démarrage, malgré les petits accrocs, les blocages, les résistances, je sentais que le film était maintenant sur des rails. Je touchai alors un mot à Sue d'un détail qui me tracassait, c'est que je ne trouvais plus le chargeur d'alimentation de mon ordinateur, que j'avais dû oublier à l'hôtel Garden. Sue fit preuve d'autant de compréhension que d'efficacité et trente secondes plus tard, elle était en ligne avec un réceptionniste de l'hôtel Garden, qui lui confirma qu'on avait bien retrouvé mon chargeur dans ma chambre. Après un rapide échange en chinois avec le chauffeur, elle me dit qu'on allait passer chercher mon chargeur tout de suite à l'hôtel, c'était sur le chemin du décor que nous allions visiter. Cinq jours après mon arrivée à Guangzhou, nous fîmes donc ainsi de nouveau notre entrée sur la voie privée de l'hôtel Garden, et je descendis de voiture en coup de vent pour aller récupérer mon chargeur. Je dus attendre quelques instants dans le hall avant de voir un concierge en costume cravate s'avancer vers moi avec une onction sacerdotale, qui me remit avec solennité, pincé entre deux doigts, comme un trophée, ou un poisson rouge dans un sac en plastique, mon chargeur, rangé dans une pochette transparente hermétiquement fermée (il semblait neuf comme au premier jour, à croire qu'ils l'avaient épousseté au plumet et repeint en blanc). Je ne m'attardai pas dans l'hôtel, et j'étais en train de regagner la voiture, quand je croisai le type qui occupait ma chambre le soir de mon arrivée à Guangzhou. Il était toujours vêtu d'un tee-shirt informe et passa à côté de moi en traînant les pieds, un journal en anglais à la main. Il ne me reconnut pas, ou fit mine de ne pas me reconnaître, mais sa seule présence ce matin dans le grand hall illuminé de l'hôtel Garden éclaira la scène d'une lueur de fiction. La vie, fugitivement, prit un air romanesque. J'aime ces hasards minuscules, qui fourmillent dans la vie, et qui, malgré leur bizarrerie, malgré leur extravagance parfois, malgré la totale invraisemblance qu'ils peuvent même à l'occasion présenter, ont toujours ce caractère paisible et irréfutable que la vie a en toutes circonstances. Mais peut-être que j'invente après tout, peut-être que ce type, aussi insignifiant soit-il, aussi négligeable soit son rôle dans cette histoire, n'a jamais existé, et que j'ai simplement inventé son existence pour donner un peu de piment romanesque à ce début de journée. Car même si c'est le réel que je romance, il est indéniable que je romance.

Je rejoignis la voiture, et nous nous remîmes en route. Le nouveau décor que nous allions visiter était un musée, et Sue m'informa que nous serions accueillis par Liang Jianhua. Elle prononça le nom d'un air entendu, comme si c'était quelqu'un que j'étais censé connaître. Mais, à supposer que j'aie entendu le nom correctement, je ne voyais pas de qui il s'agissait. Malgré toute ma bonne volonté, il m'arrivait souvent de m'embrouiller dans les patronymes chinois. Je reconnus cependant Liang Jianhua dès que je l'aperçus, quand il vint nous accueillir dans le hall d'entrée du musée (autant son nom ne m'avait rien dit, autant son visage m'était familier). Jianhua avait été l'un de mes plus précieux collaborateurs pendant le tournage de *Fuir*. C'est lui, sur le plateau, qui m'aidait à monter sur pied les quelques projecteurs dont nous disposions. C'est lui, surtout, tout au long des deux nuits de tournage de la scène de la fuite à moto, qui avait éclairé les protagonistes avec une lampe de poche, juché à l'arrière d'une autre moto, qui roulait parallèlement à celle des acteurs. Deux soirs de suite, Jianhua avait réussi à faire surgir de la nuit le visage des acteurs, comme s'il les avaient peints, ou esquissés, à longs traits de lumière, du bout non pas d'un pinceau de calligraphie mais d'une simple lampe de poche. Face à une telle maîtrise de l'instrument, devant de tels exploits, j'en étais venu, avec Lilas, à surnommer Jianhua « Monsieur lampe de poche », et c'est le seul nom qu'il ait jamais porté dans mon esprit.

Jianhua, indépendamment de ses talents d'éclairagiste et de son ingéniosité à toute épreuve, avait, et c'est la chose, chez lui, qui me marquait le plus, un rire très particulier, qui ponctuait chacune de ses phrases, en agitant ses épaules de haut en bas de façon saccadée, comme s'il était littéralement secoué de rire. L'onde passée, il gardait encore un moment sur le visage un vestige de gaieté, témoignage de sa récente hilarité. Lorsque, les yeux brillants de plaisir, Jianhua m'aperçut ce matin-là dans le hall, il se contenta de m'adresser un sourire de connivence, mais ce sourire, déjà presque farceur par anticipation (comme la promesse implicite que nous n'allions pas tarder à bien rire ensemble), était déjà comme un avant-goût de son rire si caractéristique, que je ne retrouvai dans toute sa splendeur que quelques minutes plus tard, dans l'ascenseur, lorsqu'il m'apprit qu'il travaillait maintenant au Times Museum, révélation qui déclencha aussitôt chez lui la fusée de son petit rire en cascade, qui se mit à secouer son corps sur place dans la cabine de l'ascenseur, comme s'il frissonnait, ou qu'il s'ébrouait, et que des milliers de gouttelettes de pure allégresse s'envolaient dans l'air autour de son visage.

Le musée se trouvait au dix-neuvième étage du bâtiment. En sortant de l'ascenseur, nous débouchâmes sur une grande salle d'exposition vide, blanche, tout en longueur, encombrée de planches et de sacs en plastique, de pots de peintures et de bâches qui jonchaient le sol. Une plate-forme élévatrice qui permet d'accéder aux rails d'éclairage du plafond était abandonnée dans un coin.

On sentait qu'on était entre deux expositions, la précédente venait d'être démontée et on n'avait pas encore commencé de monter la suivante. J'avançais dans la grande salle déserte, et je commençais à me représenter mentalement le défilé de la robe en miel dans ces lieux, le podium, les gradins, qui prenaient corps dans mon esprit entre ces murs vides et blancs prêts à les accueillir. Jianhua, qui me guidait dans la salle, écoutait le résumé que je lui faisais en anglais de la scène que je voulais tourner ici, en ponctuant mes explications de petits rires approbateurs et enjoués. Arrivé au bout de la salle, il me fit traverser une longue passerelle intérieure vitrée, qui s'avançait pour ainsi dire à même le ciel, dans la lumière grisâtre d'un soleil voilé, et nous rejoignîmes la dernière salle du musée, un cube de verre dressé en suspension dans le vide. Je m'arrêtai un instant devant la baie vitrée. Je regardais la ville à l'horizon qui s'étendait dans la brume, et je me sentais apaisé. Dès que j'avais mis un pied dans cette salle, j'avais compris que j'avais devant moi le décor de mon film. Je savais maintenant, de façon infaillible, que c'était ici qu'il fallait tourner *The Honey Dress*.

Ce soir-là, après le dîner, Chen Tong me raccompagna à pied jusqu'à l'hôtel Victory, dans l'île de Shamian, où je séjournais désormais. Je le remerciai pour la soirée et nous prîmes congé devant l'hôtel. Je rentrai dans le hall désert, mais me ravisai aussitôt, et je ressortis faire une promenade nocturne. L'air était tiède, la douceur enveloppante, et je déambulais pensivement dans la nuit entre deux rangées de bâtiments de l'ancienne concession franco-britannique. Les maisons de style colonial, avec balcons à colonnettes, souvent agrémentées d'un jardinet, semblaient silencieuses et inhabitées, la plupart des volets étaient fermés. Ici ou là, on apercevait un îlot de lumière jaune sur le trottoir d'en face, qui témoignait de la présence d'un magasin d'alimentation ou de souvenirs. L'endroit était particulièrement calme et paisible, et je marchais, perdu dans mes pensées, en me remémorant les principaux événements de la journée. C'était une pause bienvenue après cette journée de travail bien remplie où j'avais trouvé un décor pour le film, une coupure opportune, une respiration. Je continuais de marcher lentement dans la nuit, et, même si la vie, autour de moi, présentait toujours son caractère tranquille et indéniable, j'avais le sentiment d'évoluer dans un paysage de fiction, comme si j'avais été le personnage d'un roman que j'aurais été en train d'écrire. Je m'engageai dans une allée plus sombre qui menait à la rivière, et, de chaque côté de moi, dans des parcs peu éclairés qui bordaient le rivage, des dizaines de personnes dansaient au son d'un simple radiocassette posé sur le sol, les danseurs tanguaient de gauche à droite, avançaient à l'unisson et revenaient en arrière comme s'ils flottaient en suspension dans l'air. Quelques bancs de pierre décoraient l'esplanade le long du rivage. Il y avait là des gens de tout âge, qui fumaient en survêtement, se tenaient accroupis dans la pénombre ou jouaient au mahjong, un couple d'amoureux était assis sur une rambarde sous l'éclairage vert émeraude des projecteurs fixés en hauteur dans les branches des arbres. Je m'avançai jusqu'à la berge, et je me plongeai dans la contemplation de la Rivière des Perles. Je regardais l'eau sombre et lourde qui coulait en contrebas, à la surface de laquelle miroitaient des chatoiement de néons qui allaient se mêler à des résidus d'huile de moteur, mélangeant au noir de l'onde les flammes sinueuses et mobiles de reflets violets. Il y avait quelques pêcheurs sur la berge, et même un type improbable en caleçon qui faisait des mouvements de gymnastique sur le mur de béton grisâtre de la berge et qui finit par se jeter à l'eau. Je le suivis des yeux à la surface des flots sombres, tête minuscule qui surnageait au fil du courant de la vaste rivière, sur fond de néons multicolores qui dessinaient, sur l'autre rive, la ligne futuriste des gratte-ciel de Guangzhou.

De retour à l'hôtel, je ne me couchai pas tout de suite. Je profitai de la soirée pour relire et mettre à jour mes carnets. J'ai toujours possédé des carnets, où je note des bribes d'idées, des ébauches de scènes de roman et des renseignements divers pour les livres à venir, mais, là, il s'agissait d'autre chose. Depuis trois jours, je tenais un Journal. Je notais, au jour le jour, de manière brute et sans commentaire, comme un simple pense-bête, les principaux événements de la journée. Cet après-midi, par exemple, j'avais noté dans la voiture en revenant du musée : « R.V. 11 heures. Voiture, embouteillages. Times Museum. Très beau décor. Salle pour la préparation de la robe, fenêtres, vue sur la ville. » Rien de plus. Ayant un peu de temps devant moi ce soir, je décidai de retranscrire au propre sur mon ordinateur l'intégralité des notes que j'avais prises depuis mon arrivée. Je m'installai au bureau de la chambre, le carnet ouvert à côté de moi dans le cône de lumière dorée de la lampe d'hôtel, et, les yeux allant de mes notes à l'écran de l'ordinateur, je recopiais, phrase par phrase, chaque ligne du carnet. Je n'avais encore jamais tenu un Journal auparavant, et je n'avais aucune idée de ce que je pourrais faire de ces notes par la suite. Il me semblait qu'elles pourraient peut-être donner matière à un livre, non pas en raison de l'intérêt en soi que les événements rapportés pouvaient présenter (encore qu'ils illustraient, à plat, sans intrigue romanesque, le quotidien réel que je vivais ces jours-ci), mais comme un témoignage de ce qu'avaient été mes expériences de tournage en Chine. Si d'aventure je devais en faire un livre un jour, il me semblait que je ne devais pas me limiter à la préparation de ce tournage, mais englober également les tournages de *Fuir* et de *Zahir*, et même élargir le sujet à tous les voyages que j'avais faits en Chine depuis 2001. D'une certaine façon, en choisissant de façon arbitraire et parfaitement fortuite cette semaine de novembre 2014 pour tenir un Journal, le plus détaillé possible, le plus circonstancié possible, en n'épargnant aucun incident, en m'attardant en détails sur chaque événement microscopique qui m'était arrivé pendant ces quelques jours, en dilatant en quelque sorte le temps, pour créer, à partir de rien, une durée romanesque autonome, et en reliant constamment cette évocation de la préparation de *The Honey Dress* aux autres tournages des films que j'avais réalisés en Chine, j'agissais de la manière dont on procède quand on prélève une carotte de glace de façon aléatoire dans la banquise pour obtenir des informations sur sa composition, son environnement et son devenir possible, afin de parvenir, à partir d'un seul prélèvement ponctuel, aussi infime soit-il au regard de l'immensité qui l'entoure, à retrouver toutes les couches successives et superposées de son passé, et de reconstruire avec des mots, de réédifier en images, dans le présent de la lecture, son histoire.

Le lendemain, dans la voiture qui me conduisait à la Foire de Canton où nous avions rendez-vous avec une actrice, j'avais ressorti mon carnet et j'avais noté, à la date du jour, en style télégraphique, les deux seuls repères qui m'étaient connus jusqu'alors : « R.V. 11 heures à l'hôtel », pour indiquer que Chen Tong était venu me chercher à l'hôtel, et « 12 h. R.V. avec l'actrice », pour annoncer l'événement pas encore advenu vers lequel nous voguions, à l'orée de cette journée de travail encore ouverte à tous les possibles, en espérant que, de la même manière que la veille avait été la journée du décor, aujourd'hui serait la journée de l'actrice. Je refermai mon carnet, et je songeai que ce Journal du tournage de *The Honey Dress* que j'envisageais d'écrire pourrait bien être, à l'arrivée, une sorte de *Fuir*, le roman que j'ai écrit qui se passe en Chine, pour la plongée opérée dans la Chine contemporaine, avec l'évocation de ses décors urbains, de ses ambiances et de ses odeurs vénéneuses de chou rance et de chaleur humide, mais un *Fuir* sans intrigue, sans arrière-plan romanesque, un *Fuir* où ne subsisterait que l'aspect documentaire de la Chine d'aujourd'hui, la simple chronique quotidienne d'un tournage, avec l'évocation de ces journées paradoxales que j'étais en train de vivre, à la fois si intenses quand on les expérimente de l'intérieur, et si pauvres d'un point de vue romanesque, ces journées insignifiantes, et pourtant riches d'imprévus, de joies éphémères, d'échecs mineurs, de difficultés dérisoires et d'émotions fugaces. La vie, quoi.

Nous avions retrouvé ce matin notre configuration initiale dans la voiture, Chen Tong assis à côté du chauffeur, et Sue à l'arrière, à côté de moi. La voiture n'avançait que par à-coups dans les embouteillages, et je regardais pensivement la cime des arbres au loin qui se dessinait dans le ciel gris, quand, d'un coup, de façon tout à fait inattendue, me vint une révélation, l'intuition que, des deux derniers projets de livre qui m'occupaient l'esprit depuis quelques mois, je ne devais en faire qu'un. À ce Journal de tournage auquel je commençais à songer, je devais intégrer la matière de l'essai littéraire *Le Fatal et le Fortuit* que j'avais entrepris avant mon départ en Chine. Je devais incorporer la réflexion qui était au cœur de cet essai à ce Journal de tournage, je devais en quelque sorte fusionner les deux projets pour ne plus en faire qu'un. La réflexion sur le hasard que contenait *Le Fatal et le Fortuit* n'en demeurait pas moins pertinente, qui consistait à distinguer ce qui, dans la création artistique, relève du hasard de ce qui appartient à la fatalité que toute œuvre porte en elle. Mais, ce que je venais de comprendre à l'instant, c'est que ce n'était pas nécessairement sous la forme d'un essai littéraire que je devais écrire cette variation sur le hasard. Ce Journal de tournage que je venais d'entreprendre pouvait m'en donner également l'occasion, et même de façon plus légère, plus subtile, et plus clandestine. N'avais-je pas intérêt, romancier que je suis, à enrober les réflexions théoriques que je voulais exprimer sur le hasard de la substance sensuelle de la vie même ? Il est sans doute illusoire de vouloir extraire un seul élément de l'écheveau des causes enchevêtrées qui président à l'origine d'un livre. Comment, en effet, retrouver la figure initiale, l'image ou l'idée première qui a amorcé l'écriture d'un livre derrière les multiples couches de sédiments, les dépôts successifs, l'accumulation de mots et de variantes, de renoncements et de retours en arrière, d'idées, d'ébauches, de scènes entrevues et abandonnées, de chatoiements de couleurs et d'émotions qui se sont amoncelés et mélangés tout au long des mois de maturation et d'écriture, mais l'*intuition* première, l'étincelle initiale qui est à l'origine de *Made in China*, je l'ai eue dans la voiture qui me menait à la Foire de Canton en ce jour de novembre 2014.

Je fus alors pris d'un léger vertige. Je me tournai vers Sue, qui était assise à côté de moi à l'arrière de la voiture. Plus je la regardais, plus j'étais troublé, car, même si elle ne bougeait pas (elle regardait pensivement par la vitre), elle semblait se débattre sous mes yeux entre deux statuts, celui de personne réelle, qu'elle était incontestablement, et celui de personnage littéraire, qu'elle était tout autant, dans le livre que j'étais en train d'écrire. Chacun des personnages de ce livre, d'ailleurs, et Chen Tong, bien sûr, au premier chef, portait en soi cette ambiguïté intrinsèque, d'être à la fois nourri de la personne réelle qui l'avait inspiré (la démarche chaloupée de Chen Tong, je ne l'avais pas inventée, c'est bien auprès de Chen Tong lui-même, à la source en quelque sorte, que j'avais été la puiser), et de jouir malgré tout d'une certaine autonomie romanesque, qui me permettait de sculpter leur personnalité dans la matière vivante du texte, d'infléchir ici, de distordre là, bref de malléer les personnes réelles qu'ils étaient au gré de mon imagination et des besoins de ma fiction. Et, assis à l'arrière de la voiture, je regardais Chen Tong et Sue en pensant que j'allais créer des personnages littéraires à partir de ce qu'ils étaient réellement — que j'avais en somme mes modèles sous les yeux —, et que, si je voulais les rendre aériens, lumineux et vivants, je devais m'affranchir encore plus des contraintes

125

d'une trop parfaite conformité au réel (tel détail serait inventé — et alors ?), et prendre le large vers la fiction.

La voiture ralentit en entrant dans le périmètre de la Foire de Canton. Des drapeaux flottaient au vent sur l'esplanade, comme aux abords d'un Palais des congrès, et on voyait des centaines de personnes se presser devant les grands bâtiments de verre des halls d'exposition. Nous progressions au ralenti le long du trottoir, Chen Tong au téléphone à l'avant de la voiture, qui scrutait la foule par la vitre, le regard attentif, pour essayer d'apercevoir la personne avec qui nous avions rendez-vous avec qui il était toujours au téléphone. La jonction se fit alors entre la voix mystérieuse qu'on entendait grésiller dans l'appareil et la personne à qui elle appartenait, et l'interlocuteur invisible de Chen Tong se matérialisa soudain devant nous sur le trottoir, qui n'était autre que Desi (le téléphone à l'oreille, il nous fit un petit signe discret de la main quand il nous aperçut). Nous allâmes rejoindre Desi dans la foule devant l'entrée de la Foire. Il était accompagné de l'agent artistique de l'actrice, Shirley, une jeune Chinoise en veste kaki et longs cheveux noirs, Rangers ou Doc Martens aux pieds, avec un grand sac en bandoulière négligemment jeté autour de son épaule. Elle était au téléphone, et ne nous accorda pas le moindre

regard quand Desi nous la présenta. Ayant rac-
croché, Shirley (Shirley, franchement, pour une
Chinoise) nous invita à aller retrouver l'actrice à
l'intérieur de la Foire, où elle était en train de
participer à une séance de photos. Nous entrâmes
dans un grand bâtiment de verre et suivîmes Shirley sur un escalator intérieur qui s'élevait sous une
immense verrière. Arrivés au deuxième étage,
nous nous engageâmes sur une longue passerelle
extérieure qui reliait plusieurs bâtiments de la
Foire, dans une foule de plus en plus compacte,
d'où émergeaient des silhouettes de policiers en
uniforme et d'hôtesses d'accueil en gilets vert fluo,
qui nous indiquaient le chemin comme s'il s'agissait de changer de terminal dans un aéroport.
Devant l'entrée du hall C, la foule se rétrécissait,
ralentie par un contrôle de sécurité, et les visiteurs
étaient canalisés entre deux rangées de barrières
pour passer un portique détecteur de métaux.
Shirley s'absenta un moment pour aller nous chercher des laissez-passer. En attendant son retour,
j'allai examiner un plan mural sur un panneau à
l'écart. Il s'agissait d'un plan d'ensemble de la
Foire de Canton, parsemé de pastilles multicolores et enrichi de pictogrammes, certains sibyllins,
d'autres aisément identifiables (difficile de ne pas
reconnaître le petit humain blanc stylisé qui sym-
bolise les toilettes, ou la croix rouge du poste de
secours), sans compter la grande flèche rouge

insérée dans une bulle, qui, au choix, ironique ou vertigineusement métaphysique, indiquait *You are here*, et qui semblait me signifier, non pas que je me trouvais à l'instant en Chine, à Guangzhou, pour tourner *The Honey Dress*, mais de façon plus prosaïque, et plus vertigineuse encore, que c'est à cet endroit précis de la Foire, devant l'entrée du hall C, que je me trouvais parmi ces trois cent mille mètres carrés de surfaces d'exposition. Le hall où nous devions nous rendre abritait en ce moment un Salon pharmaceutique, PHARMAPACK & SINOPHEX, avec des stands dédiés à l'équipement médical, aux machines d'emballage pharmaceutique, à la chimie fine et aux *Chinese ingredients* (expression qui me laissait rêveur). Retrouvant peu à peu mes esprits après cette arrivée mouvementée, je songeais que je m'apprêtais à rencontrer maintenant l'actrice dans quelques minutes et je me réjouissais de cette perspective, quand Sue vint me rejoindre, qui voulait avoir quelques précisions pour le tournage, et en particulier sur le maquillage et la coiffure qu'il fallait prévoir pour l'actrice. Même si je n'avais pas d'idée très arrêtée sur la question (moi, le maquillage), je m'efforçais de lui répondre de façon concise, nette et déterminée, en bon metteur en scène avisé qui sait toujours ce qu'il veut, avec clarté, et précision, de toute éternité. *One last thing, do you want a sticker on the tits ?* me dit-elle. Je la regardai. La question me désarçonna (des stickers sur les seins ?), et ce fut là comme l'irruption du réel le plus prosaïque dans l'univers encore nébuleux, informulé, et vaguement délicieux dans lequel je me figurais qu'allait se dérouler cette première rencontre imminente avec l'actrice. D'un coup, je me trouvais confronté à une question triviale, à laquelle, comme metteur en scène, je devais répondre. La question semblait me renvoyer à une autre époque, bien loin de cette Chine contemporaine qui nous entourait et où j'allais tourner mon film, et la première image qui me vint à l'esprit en entendant le mot sticker fut celle d'un vieux magazine *Playboy* avec une pin-up en technicolor dont le bout des seins serait masqué de stickers étoilés. Sue, attentive, le regard levé vers moi, attendait ma réponse, et, comme je ne disais toujours rien, anticipant peut-être une réponse que je n'avais pas faite, elle ajouta, vaguement réprobatrice : « *Or do you want the whole thing ?* » Je lui expliquai que je n'avais jamais réfléchi à la question, que, certes, dans l'absolu, je préférais sans stickers, oui — dans la vie comme à l'écran —, mais que cela n'avait pas beaucoup d'importance pour moi, et que, si d'aventure l'actrice soulevait une telle objection ou refusait d'apparaître à l'image sans stickers sur la poitrine, j'essayerais de la convaincre que, pour présenter une robe dans un défilé de mode, il était préférable de ne pas avoir d'autocollants sur les seins. Du bon sens, Sue, du bon sens.

La manière dont j'imaginais à ce moment-là la rencontre avec l'actrice était encore assez abstraite. Ce que je pouvais me représenter, c'est qu'il y avait, dans le hall C, un endroit retiré, une sorte de salle privée protégée du bruit et des allées et venues de la Foire, où avaient lieu les présentations de produits et les conférences de presse, et que c'était là, dans l'obscurité de cette pièce, que devait se trouver l'actrice en ce moment, où elle participait à une séance de photos. En réalité, tout ce que je savais de cette mystérieuse séance de photos provenait d'une double médiation, ayant d'abord été expliqué par Shirley à Chen Tong, puis traduit succinctement pour moi en anglais par Sue. Il n'empêche que je ressentais maintenant une sorte d'émotion, presque une appréhension, à quelques minutes de découvrir l'actrice qui allait jouer dans *The Honey Dress*. Je pensais à ce que cette rencontre avait de fortuit, à la probabilité quasi nulle que nous avions de nous rencontrer, moi né en Europe à la fin des années 1950, et elle née en Russie, ou en Ukraine, dans les années 1990, et qui avait décidé, pour quelles mystérieuses raisons, privées ou professionnelles, de quitter son pays pour venir travailler comme mannequin dans le Sud de la Chine. Je n'avais encore aucune idée de comment elle serait physiquement, je n'attendais d'elle rien de particulier, mais je savais que j'étais prêt à l'accueillir dans mon film. Je réfléchissais au paradoxe, que, toujours, lorsque je travaillais, j'étais à la fois extrêmement concentré et tendu vers ce que je faisais, et apparemment complètement insouciant et relâché, au point d'apparaître parfois, non comme velléitaire ou indécis (nullement, il me semble), mais comme radicalement désinvolte. Au sujet du choix de l'actrice, par exemple, aussi crucial son choix était-il pour le film, je ne pouvais m'empêcher de garder présent au coin de l'esprit la réflexion que, dans le fond, peu importait l'actrice, la seule chose qui comptait c'était moi et ce que je ferais d'elle à l'écran. Il me vint alors à l'esprit le mot de Picasso « quand je n'ai pas de bleu, je mets du rouge », cette formule aux allures de boutade qui m'a toujours paru beaucoup plus profonde qu'elle en avait l'air, et qui me semblait dire, avec tranchant, dans une formule limpide, la disponibilité du créateur. J'ai toujours eu, quand j'écris ou quand je fais du cinéma, cette ouverture à l'imprévu, ce désir d'accueillir le monde extérieur, ses hasards et ses contingences, dans mes pages ou dans les cartes mémoire de mes films. Je n'ai jamais eu cette raideur inflexible de vouloir plier absolument le monde extérieur à mon bon vouloir, comme certains metteurs en scène intransigeants, qui vont auditionner mille actrices pour un rôle, sans jamais en trouver une à leur goût, parce qu'il y a toujours *ceci* ou *cela* qui ne va pas chez l'une ou chez l'autre, sans se rendre compte que tous ces *ceci et cela* qui ne vont pas ne sont pas inhérents aux actrices qu'ils rencontrent, mais à eux-mêmes, et ne sont que l'expression de leur propre insatisfaction.

Shirley reparut alors devant la porte principale du hall C avec une pleine moisson de badges VISITOR entre les mains, que nous nous répartîmes, certains le passant autour du cou, d'autres le gardant à la main. Munis de ces sésames, nous franchîmes l'obstacle du contrôle de sécurité comme par enchantement, passant l'un derrière l'autre dans l'étroit couloir réservé aux VIP. Nous nous étions enfoncés dans la cohue entre des centaines de stands quasiment identiques, tous construits sur le même modèle, simple rectangle couvert de moquette qu'encadraient trois cloisons amovibles où étaient présentés des produits pharmaceutiques, en essayant de rester groupés dans la foule, de ne pas se perdre du regard, nous traçant un chemin entre les visiteurs, qui déambulaient tranquillement en faisant leur marché sur les présentoirs, les bras déjà chargés d'échantillons et de prospectus de démonstration. Parfois, autour d'un stand plus grand qui faisait l'attraction, un attroupement se formait, un présentateur haranguait la foule qui passait à sa portée. Le bruit de sa voix dans le micro couvrait un instant le brouhaha ambiant qui venait des autres stands, et le tout était encore parfois surmonté par des annonces en mandarin lancées dans les haut-parleurs de la Foire. J'aperçus alors l'actrice. Je l'aperçus à distance, et, dès que je la vis, j'étais encore à vingt ou à trente mètres du stand où elle se trouvait, j'eus la certitude que c'était elle, et le choc silencieux que je ressentis alors, le véritable coup de poing dans la poitrine que sa vue me causa, je continuai d'en percevoir les répercussions invisibles pendant de longues secondes tandis que je poursuivais ma route, sans ralentir, sans me démonter, sans rien laisser paraître. J'espérais encore secrètement que je m'étais trompé, que ce n'était pas elle, mais, à mesure que je me rapprochais du stand et que je voyais que tout le monde s'arrêtait, je dus me rendre à l'évidence. Je fis les derniers pas et m'arrêtai moi aussi en bordure du stand où elle se tenait, en bikini rose, les pieds nus sur la moquette grisâtre. Sa pose, à la fois parfaitement classique et tout à fait convenue, consistait à se tenir une jambe en avant, légèrement déhanchée et une main à la taille, aux flancs d'une voiture neuve, une grosse cylindrée qui avait été hissée sur le stand parmi des maquettes démesurément agrandies de flacons de médicaments. Elle se tenait là immobile, avec un sourire factice, le front luisant sous la lumière brûlante d'un projecteur monté sur pied, reine de pacotille de ce stand pitoyable, que des dizaines de visiteurs, montés sur le podium avec leurs sacs en plastique, entouraient pour la prendre en photo avec leur téléphone. Je n'osais m'approcher de trop près, et je demeurais à l'écart, me faisant le plus petit possible, pour ne pas être repéré, craignant que, dans un mouvement de foule ou d'exaltation communicative, elle me fût présentée. Ce que je n'avais pas encore pu observer à distance, et que j'avais maintenant tout loisir de détailler de la position en retrait et quasiment camouflée où je me tenais dépité, c'est la couche épaisse de fond de teint craquelé et comme plâtreux qui recouvrait ses joues pour dissimuler le début d'acné qui mangeait son visage. Elle avait une peau marbrée et les cheveux filasses, avec de fausses fleurs derrière les oreilles, des paillettes étoilées réparties le long de son décolleté et des tatouages pâles et bleutés un peu partout sur le corps, à l'épaule et sur les avant-bras. Je regardais ses hanches dénudées et son pubis rebondi, qu'on devinait sous le fin tissu de la petite culotte rose de son maillot de bain. Mais, ce qui frappait le plus, derrière le regard terne qu'elle lançait dans le vide en continuant à produire aux alentours un égal sourire béat, c'est qu'il se dégageait d'elle, comme je l'ai rarement observé chez une femme, quelque chose de puissamment, de violemment, d'indécemment sexuel. Il y avait ses seins, bien sûr, lourds et gonflés, dont les chairs dépassaient des balconnets du soutien-gorge, mais c'était surtout ses lèvres qui donnaient cette impression de langueur et de vulgarité, ses lèvres ourlées, boursoufflées et obscènes, dont le plus sage était sans doute de s'abstenir d'imaginer à quel usage elles semblaient pour ainsi dire prêtes à l'emploi avec tant d'impudeur et d'ostentation. Chen Tong, se frayant un chemin dans la foule pour me rejoindre, se rapprocha de moi, tergiversant, la tête penchée, papelard, préoccupé, et me dit, avec beaucoup de diplomatie, et de tact, qu'il fallait l'imaginer dans un autre contexte. Certes. J'acquiesçai pensivement, et il ajouta, sans doute avec raison, qu'on ne pouvait pas juger de ses aptitudes dans la lumière crue de ce stand, qu'il fallait la voir avec une autre coiffure, un autre maquillage. Je suis souple en général, je cherche toujours à trouver une solution, un arrangement, un compromis, à « faire avec », à m'adapter. Mais je restais sans voix, consterné, je ne savais que dire, je cherchais une manière de me dérober, un prétexte, une excuse, mais, ne trouvant aucun argument à lui opposer, je ressentis soudain un grand vide intérieur, je me sentais perdre pied, et, avant de couler entièrement et de me résoudre à faire le film avec elle, me ressaisissant soudain, comme un noyé qui se révolte, je me tournai vers Chen Tong et je lui dis : « Non. »

Nous quittâmes aussitôt la Foire. J'avais vu l'actrice moins de deux minutes, mais il nous fallut plus d'une demi-heure pour rejoindre le parking où le chauffeur nous attendait, et encore cinquante minutes pour regagner les bureaux. Dans l'intervalle, je fus témoin de manœuvres discrètes, que je reconstituai par la suite dans la voiture, qui avaient trait à la rivalité latente, que j'exagère peut-être, ou que je construis même de toutes pièces, entre Sue et Desi pour imposer leur propre agent artistique dans le choix de l'actrice. Sur le chemin du retour, je pus observer que Shirley, à qui Chen Tong venait de faire part de ma décision de ne pas retenir sa protégée, avait fait discrètement appel à Desi, pour le consulter en vue de trouver une solution de remplacement. À l'issue de ce furtif conciliabule secret, Desi, entièrement vêtu de noir, comme un homme de l'ombre ou un conseiller occulte, s'était approché de moi sur un escalator, et, m'adressant directement la parole en anglais (chose rare dans la hiérarchie non dite qui régissait les relations dans l'équipe de Chen Tong), me demanda si je voulais bien visionner des images d'une autre actrice. Il m'accompagna alors jusqu'à Shirley, qui, sans m'adresser la parole, jetant un simple regard vers moi pour voir si j'étais prêt, appuya sur la flèche de l'écran de son téléphone pour lancer un clip d'une trentaine de secondes. Nous étions en train de visionner cette vidéo en marchant d'un bon pas dans une allée de la Foire de Canton, progressant tous les trois côte à côte, nos visages conjointement penchés sur le téléphone que Shirley tenait entre ses mains. J'avais du mal à distinguer quoi que ce soit sur l'écran, autant à cause de la forte luminosité du jour qui se reflétait sur le verre, qu'en raison des cahots que notre progression imprimait constamment au téléphone, malgré le soin extrême qu'elle prenait pour stabiliser l'appareil sous mes yeux. Mais, apparemment, la mannequin qu'on voyait défiler sur l'écran pouvait convenir, elle semblait même avoir ce que je cherchais par-dessus tout, de la prestance. Desi me demanda si je voulais la rencontrer, et je dis que oui, et même aujourd'hui, si c'était possible. Parallèlement, pendant ce même trajet de retour vers le parking, Sue vint elle aussi me trouver pour me dire à voix basse, en aparté, que, le lendemain matin, nous avions rendez-vous à l'hôtel avec une actrice, une Ukrainienne, qui nous serait présentée par l'agent avec qui elle était elle-même en relation.

Pendant le déjeuner, que nous prîmes dans un restaurant non loin des bureaux de Chen Tong, la décision fut prise de tourner le film le lundi suivant. Nous avions obtenu l'autorisation de faire les prises de vue au Times Museum, Jianhua mettait même les salles du musée à notre disposition pendant le week-end pour les répétitions, il se chargerait lui-même de la lumière et de la régie sur place. Nous n'avions toujours pas d'actrice, mais, par rapport à la maritorne à laquelle nous avions échappé, c'était sans doute mieux de n'en avoir aucune, le vide que laissait pour l'instant la lumineuse absence d'une actrice au cœur du film ne demandait qu'à être comblé par la jeune femme encore dans les limbes qui le remplirait de sa grâce le moment voulu. Peut-être que, comptant trop sur ma bonne étoile, j'avais espéré qu'une actrice se fût présentée à moi dès aujourd'hui dans sa perfection définitive, avec la prestance, l'élégance et l'allure qu'elle aurait dans le film terminé. Mais, passé cette fugitive désillusion, je me concentrai sur d'autres questions qui demeuraient en suspens. Et il en restait de nombreuses. Dès la fin du repas, nous fîmes un tour dans les bureaux de Chen Tong, et Xiao Hui me présenta la première ébauche de la robe. Il s'agissait d'une simple armature de cercles concentriques ajourés, déjà très proche de ce que j'avais imaginé, qui provenait d'un ancien modèle qu'elle avait elle-même créé. Des vestiges de l'ancien usage de la robe demeuraient, et en particulier des fils électriques qui dépassaient de l'ourlet. Intrigué par ces fils apparents qui pendouillaient dans le vide, je lui demandai de quoi il s'agissait et elle m'expliqua qu'à l'origine, il y avait eu des LED dans le vêtement. En entendant le mot LED, ce fut pour moi comme une révélation. C'était comme si j'avais toujours su qu'il fallait associer des LED à la robe en miel, mais que seules les circonstances m'avaient permis de l'exprimer. Et je compris alors que si, d'un point de vue visuel, il fallait se concentrer exclusivement sur le miel pendant la première partie du film, dès que commencerait le défilé, c'est la lumière qui devait prendre le relais. La robe en miel serait en effet d'autant plus spectaculaire si on la voyait clignoter dans le noir, au gré des scintillements des colliers de LED que l'actrice porterait au bas de la robe et en diadème sur le front.

J'eus d'ailleurs tout loisir de réfléchir à la question du miel l'après-midi même dans la voiture qui nous conduisit à la campagne pour aller rencontrer l'apiculteur qu'avait trouvé Chen Tong. Chen Tong était rompu maintenant à l'art délicat de satisfaire à mes exigences les plus insolites quand je venais tourner un film en Chine. Il m'avait déjà déniché une voiture de police, une moto, un hors-bord, un cheval et un Boeing (alors, un apiculteur, vous pensez). J'ignore, cette fois-ci,

quelle filière Chen Tong avait remontée, quel
réseau il avait dû activer, par quelle relation fami-
liale ou professionnelle il était parvenu à se mettre
en cheville avec cet apiculteur avec qui nous
avions rendez-vous dans un village distant de
Guangzhou de 80 kilomètres. Mais la tâche, cette
fois, était inédite. C'est d'abeilles vivantes dont
j'avais besoin, c'est un essaim en vol que je voulais
filmer. J'avais très vite compris que je ne pourrais
sans doute pas avoir, dans la même image, à la
fois la mannequin et les abeilles, et que ce n'était
que par le montage que je parviendrais à donner
le sentiment que l'essaim volait dans le sillage de
l'actrice. Mais la question demeurait de savoir s'il
était techniquement possible de filmer un essaim
d'abeilles en vol, comment, et dans quel décor ?
La solution qui, pour l'heure, me semblait la plus
rationnelle était d'essayer d'utiliser le décor du
film, de faire voler les abeilles à l'endroit même
où l'actrice défilerait avec la robe en miel. Restait
à savoir si l'apiculteur était prêt à venir avec ses
ruches au Times Museum, pas nécessairement le
jour du tournage d'ailleurs — nous pouvions faire
ces prises de vue complémentaires avec les abeilles
la veille ou le lendemain, cela n'avait pas d'importance —, et s'il était capable, recouvert de sa tenue
protectrice, d'ouvrir les ruches pour faire voler
ses abeilles dans le musée, de façon qu'on puisse
filmer leur vol dans le décor réel où l'actrice évo-

luerait, ce qui me permettrait, au montage, de fondre les deux actions, et de refaire, toutes proportions gardées, sans vouloir comparer un cheval à une abeille, ce que nous avions déjà fait dans *Zahir*, quand, de deux décors distincts, nous n'en avions fait qu'un seul.

Après deux heures de route, nous arrivâmes dans ce qui me parut être une ville thermale, un endroit presque désert, où s'étendait un vaste complexe hôtelier, avec des chalets éparpillés à flanc de colline. Tandis que le chauffeur se garait sur un immense parking vide, Chen Tong, assis à l'avant de la voiture, se retourna pour m'expliquer qu'il y a quelques années il avait organisé ici une retraite avec son équipe, et il évoqua vaguement la possibilité de faire un jour un séminaire de traduction autour de mes livres dans ce vaste domaine (oui, pour traduire ce livre-ci, par exemple, lui dis-je, mais il ne releva pas, il ne devait sans doute pas avoir l'impression que nous étions dans un livre). Après nous être dégourdi les jambes sur le parking, nous passâmes un pont de pierres et nous prîmes la direction des sous-bois où se trouvait le rucher. Des ruches en bois naturel étaient disposées tout au long d'un chemin pavé de galets qui montait en pente douce jusqu'à une cabane rustique nichée en hauteur, où étaient entreposés en vrac sur le sol des outils, des bidons, de vieux casiers, des cadres endommagés. L'apiculteur, qui nous attendait sur la terrasse, nous accueillit chaleureusement. Il ressemblait, c'était aussi frappant qu'inattendu, à Henri Salvador, à peine plus sinisé que l'original, même rondeur du visage, même joues cuivrées, même jovialité, et, comme il arrive souvent dans les ressemblances, celle-ci ne s'arrêtait pas à l'apparence physique, mais semblait s'étendre au caractère et aux traits marquants de la personnalité, car, non content d'avoir la tête d'Henri Salvador (ce qui déjà, en soi, pour un Chinois, ne manquait pas de sel), il en avait également le rire, ce fameux rire en cascade très communicatif qu'on était surpris d'entendre dans la bouche d'un apiculteur du Guangdong. Cheveux courts, lèvres épaisses, débonnaire et hilare, il était vêtu d'un tee-shirt gris moulant et d'un pantalon en velours à grosses côtes fortement ceinturé (sur son tee-shirt, à l'endroit du crocodile, on devinait la silhouette en extension d'un basketteur en train de réussir un panier). Il nous entraîna à sa suite dans son rucher. Tout en parlant, se penchant sur une ruche, il en ouvrait l'une ou l'autre, sortait un cadre grouillant d'abeilles, sans se protéger les mains ni le visage, et nous le montrait à distance, en nous mettant en garde contre les risques de piqûres, et plus grand était le danger évoqué, plus délicieusement ravi était le rire formidable qui accompagnait ses avertissements. Chen Tong lui avait demandé de nous montrer les vêtements de protection dont il se servait, et il alla nous chercher un chapeau à large bord avec un voile protecteur et une paire de gants avec manchons, qu'il me tendit dans un grand rire. Je les examinai distraitement. C'était tout. C'était peut-être efficace, peut-être cela lui suffisait-il pour se protéger, mais ce n'était pas très photogénique, et ce n'était pas exactement ce que je voulais (le chapeau, en plus, avait une couleur camouflage). J'expliquai que, pour le film, j'avais plutôt imaginé une combinaison blanche intégrale, du type de celles que portent les techniciens en identification criminelle, mais l'apiculteur n'en avait pas et ne savait pas où on pouvait s'en procurer (nous finîmes par en commander une sur Internet, qui nous fut livrée la veille du tournage). Pour le reste, l'apiculteur était plein de bonne volonté, il voulait bien nous prêter son matériel, ses tenues de protection, ses cuves et ses bidons, mais je compris très vite qu'on ne pourrait pas déplacer ses abeilles. En dehors de leur environnement familier, d'après lui, elles étaient parfaitement incontrôlables, et je dus me rendre à l'évidence, nous ne pourrions pas déplacer ses ruches au Times Museum.

Mais, à défaut de compter sur ses abeilles, je me demandais si je ne pouvais pas faire appel à

143

lui pour le rôle de l'apiculteur, il me semblait qu'il nous serait utile d'avoir sur le plateau quelqu'un de compétent, au fait des moindres subtilités du métier, qui connaissait les gestes justes et ne commettrait pas d'impair, une sorte de conseiller technique, qui combinerait les deux casquettes d'acteur et de consultant. Sue lui traduisit la demande, et il accueillit la nouvelle avec enthousiasme. Il n'en croyait pas ses oreilles et, se rapprochant de moi pour me remercier, ou me conforter dans mon choix (mais j'étais convaincu, nul besoin d'en rajouter), il exhuma de son portefeuille des photos de lui à différents âges de sa vie, qu'il faisait défiler sous mes yeux, en ajoutant parfois un commentaire en chinois dans un grand rire salvadorien. Il adorait le cinéma, selon Sue, cela avait toujours été son rêve de jouer dans un film. Le rôle de l'apiculteur dans *The Honey Dress*, que je venais donc de lui confier, soyons franc, ce n'était pas le rôle du siècle. Il avait ceci de particulier que celui qui le jouait, revêtu de la tête aux pieds de vêtements de protection, n'était à aucun moment reconnaissable à l'image, et que, à supposer que les protections soient fiables, pas un centimètre carré de sa peau ne devait même jamais apparaître à l'écran. À cette bizarrerie, à la spécificité de ce rôle, qui, plus qu'aucun autre, permettait d'avoir recours à une doublure, il s'ajouta que, par un concours de circonstances singulier,

144

ce fut deux personnes qui le tinrent finalement, car, le soir du tournage, sur le coup de vingt et une heures, l'apiculteur, se rendant compte qu'il devait prendre le dernier bus pour rejoindre sa campagne, retira soudain son masque et son chapeau et nous laissa en plan sans autre forme de procès, disparaissant en courant vers la gare routière, tandis que nous le remplacions au pied levé par l'oncle de Chen Tong, qui se glissa dans la combinaison du chevalier blanc anonyme, armé de son enfumoir en inox. Pour en finir avec l'évocation du rôle de l'apiculteur dans *The Honey Dress*, il faut dire que, même si c'était vraiment un petit rôle, que celui qui le tenait n'avait quasiment rien à faire et qu'on ne le reconnaissait même pas derrière sa combinaison blanche intégrale, notre ami l'apiculteur avait trouvé le moyen d'être particulièrement mauvais, et même en dessous de tout. À la fin de chaque prise, il hochait la tête avec bonne volonté en assurant qu'il avait bien compris et promettait de suivre désormais les consignes. On remettait tout en place, les acteurs regagnaient leurs positions de départ, on reprenait la scène au début, et il partait de nouveau à contretemps, il fallait encore une fois interrompre la prise. Parfois, quand c'était à lui d'agir, il ne partait pas du tout, il restait immobile, malgré les gesticulations de l'équipe autour de lui qui l'encourageait à grands gestes muets des bras à se

145

lancer. Nous allions le trouver, et il nous regardait fixement, impénétrable derrière le voile de son masque (anxieux ou hilare, impossible à dire). Je lui expliquais encore une fois, depuis le début, ce qu'on attendait de lui. L'interprète traduisait scrupuleusement, même Chen Tong, venu à la rescousse, précisait les instructions. Pas une fois, il ne parvint à faire ce qu'on lui demandait. À la dernière prise, il suivit carrément l'actrice sur le podium, il ne s'arrêta pas, emporté par son élan, il trottinait derrière elle en agitant frénétiquement son cadre rempli d'insectes inexistants pour faire semblant de lâcher les abeilles dans son sillage. Pour les dernières prises, heureusement, il n'eut pas le temps d'être mauvais, il était déjà parti.

Le lendemain de notre visite chez l'apiculteur, un peu avant onze heures, le téléphone sonna dans ma chambre, c'était la réception. Sans écouter le message, sachant de quoi il s'agissait, je dis que j'arrivais. Chen Tong m'avait expliqué la veille, dans la voiture, sur le chemin du retour de la campagne, le modus operandi de la rencontre avec l'actrice avec qui nous avions rendez-vous ce matin (une nouvelle actrice, une Ukrainienne). Il la verrait d'abord seul, et, seulement si elle lui paraissait convenir (inutile de m'exposer à une deuxième déconvenue), il viendrait avec elle à l'hôtel à 11 heures, pour me la présenter. Je descendis dans le hall, personne. Je compris que Chen Tong m'avait fait appeler dans ma chambre, non pas pour me faire dire qu'il était arrivé mais pour m'informer qu'il arrivait, nuance. Au bout de quinze minutes, je vis apparaître Chen Tong flanqué d'une jeune femme qui avait une tête de plus que lui, ce qui pouvait paraître inadéquat dans la vie réelle, mais n'était pas contre-indiqué pour le rôle de mannequin qu'elle devait jouer dans le film. Je m'apprêtais à la saluer, quand elle s'esquiva précipitamment, disparut aux toilettes (l'émotion de me rencontrer, à coup sûr). Elle revint au bout de dix minutes, Chen Tong et moi l'attendions dans un canapé du grand hall désert. Elle sourit, juste comme il faut, avec une réserve mesurée, s'assit dans le canapé et croisa précautionneusement ses longues jambes. Je commençai à lui résumer le film en quelques mots. C'était une jeune femme blonde et élancée. Elle m'écoutait avec attention, en hochant continûment la tête pour souligner mes dires d'une nuance d'approbation. Elle acquiesçait en fait à tout ce que je disais, avec un enthousiasme jamais démenti, avançant même parfois la main vers mon poignet pour m'arrêter avec une expression de stupeur enjouée, comme si ce que je venais de dire était exactement ce qu'elle pensait elle-même. Ma première impression, par conséquent, était bonne, ne le cachons pas. Il faut dire qu'elle était d'excellente composition, le fait de devoir être recouverte intégralement de miel pour la scène que nous allions tourner ne lui posait pas le moindre problème, pas plus que la nudité, qui lui semblait inhérente au rôle. Je me dis que je pourrais la mettre à contribution pour la coiffure, et je lui demandai ce qu'elle pensait de, je ne sais pas — je levai la tête un instant vers le plafond pour réfléchir — un chignon, et, tout en se ralliant avec admiration à ma proposition, comme si jamais elle n'aurait pu avoir eu toute seule une aussi brillante idée, elle rassembla gracieusement ses cheveux dans sa main droite, et les souleva derrière elle sur sa nuque pour me présenter son visage de profil, en attendant ma réaction. Je lui dis que c'était parfait, et nous faisions ainsi assaut de civilités depuis une dizaine de minutes (Chen Tong, lui, téléphonait sans s'occuper de nous à l'autre extrémité du canapé). Nous continuâmes encore un peu à parler chiffons avant de nous séparer. Et pour les chaussures, à quoi pensait-elle ? Elle me parla d'une paire d'escarpins vénitiens qu'elle avait et qui pourraient faire l'affaire et je lui dis oui, très bien, des escarpins vénitiens (je ne savais pas ce que c'était). La seule chose, disais-je, la seule petite réserve que j'aurais, si elle me permettait, c'est que je n'aimais pas beaucoup le violet pâle de ses ongles, mais elle ne voyait aucun inconvénient à changer la couleur du vernis de ses ongles (au contraire, elle non plus n'avait jamais aimé cette couleur, me confia-t-elle), et, comme elle me demandait à quelle couleur je pensais, j'eus l'intuition que quelle que soit la couleur que je proposerais, ce serait précisément celle à laquelle elle aurait elle-même pensé.

C'est ce jour-là, après la rencontre avec l'actrice, que j'établis mes quartiers à l'hôtel Rosedale, que je ne devais plus quitter jusqu'à la fin de mon séjour. À la suite de l'entretien avec l'actrice, je remontai chercher ma valise dans ma chambre, et je retournai à la réception pour rendre les clés. Chen Tong, qui avait déjà tout réglé, m'attendait dans le hall. Nous ressortîmes de l'hôtel, le chauffeur nous attendait pour nous conduire à l'hôtel Rosedale, où nous ne restâmes qu'un instant, le temps de déposer ma valise dans ma nouvelle chambre, au onzième étage de l'hôtel, et de humer les lieux, de retrouver l'odeur si particulière du Rosedale, mélange d'émanation d'air conditionné, de linge fraîchement repassé et de moquette, avec peut-être encore une touche astringente de déodorant parfumé, que je savourais toujours avec émotion (ainsi, c'est au Rosedale que je dormirais à partir de cette nuit, j'y serais donc pendant le tournage, j'y voyais un présage favorable). Je retrouvai Chen Tong à la réception, et nous reprîmes la voiture pour rejoindre ses bureaux. En arrivant, je passai sans m'attarder dans la grande pièce du bas, et j'étais en train de monter les escaliers pour rejoindre l'étage, quand je croisai dans le couloir un type à tête ronde et lunettes qui portait un anorak rouge genre K-Way, qui m'arrêta pour se présenter à moi. C'était Sha Pan, mon nouvel interprète, que tout le monde ici appelait Olivier, en raison de cette habitude répandue dans les cours de langue française en Chine de doter les étudiants chinois d'un prénom français (ainsi Xu Ningshu était Christine et Sha Pan Olivier), ce qui, personnellement, me paraissait un peu gandin, mais, surtout, ne me semblait pas, littérairement, pertinent (c'est comme si, voulant parler de Chen Tong dans un livre, je l'avais appelé Robert). Je n'appellerai donc pas Sha Pan Olivier dans ce livre, même si, par mimétisme, porté en quelque sorte par l'élan communicatif qui faisait que tout le monde au bureau l'appelait Olivier, je l'avais moi aussi, dans la vie réelle, plus que de raison, appelé Olivier. Mais on n'est pas dans la vie réelle, ici. Je suis chez moi, dans ce livre, et je l'appellerai Sha Pan, si je veux.

Il y avait une ambiance studieuse quand je pénétrai ce jour-là dans la salle de réunion, Chen Tong, assis à son bureau, des lunettes sur le nez, relisait des papiers, qu'il annotait avec soin au gré de sa lecture, Lea était au téléphone devant la baie vitrée. Il y avait encore quelques autres personnes présentes dans la pièce autour de la table basse remplie d'un désordre de stylos, d'ordinateurs et d'emballages froissés de diodes électroluminescentes. Yeda, qui s'occupait des LED, était en train de peaufiner un schéma électrique complexe sur un grand cahier, qu'il annotait de flèches et d'idéogrammes complémentaires. Xiao Hui cousait en silence, ce qui donnait vaguement à la pièce une atmosphère d'atelier de couture. Je me joignis à eux autour de la table basse. Xiao Hui se leva, entraînant avec elle avec précaution le canevas de robe sur lequel elle était en train de travailler. Se faufilant entre le canapé et la table basse en tenant la robe à bout de bras, elle vint se positionner devant nous au centre de la pièce pour déployer le modèle de la robe, qui tombait en cascade en multiples cerceaux concentriques blancs ajourés. Le prototype correspondait parfaitement à ce que j'avais imaginé, je trouvais simplement qu'il y avait encore trop de lignes horizontales, deux bandes pouvaient suffire à mon goût, une à la taille et une au bas de la robe, et j'en fis enlever une, qui me paraissait superflue, que Xiao Hui s'empressa de découper aux ciseaux en suivant précautionneusement ses contours. Après avoir confirmé que je voulais bien deux colliers de LED, un en bas de la robe, enrobant sa circonférence à la hauteur de l'ourlet, et un que l'actrice porterait autour du front en diadème, on s'interrogea sur la meilleure manière de camoufler les batteries, car elles ne pouvaient pas être dissociées des LED, il fallait nécessairement que l'actrice les portât sur elle. Yeda m'expliqua, en me montrant les batteries, deux batteries de 12 volts compactes de couleur bleue, qu'elles pesaient chacune près de 200 grammes, et me demanda si ça irait pour l'actrice, et je dis que oui en inclinant tacitement les paupières, l'actrice était très conciliante, j'en répondais pour elle (400 grammes de batteries réparties sur le corps, c'était quand même pas la mer à boire). Yeda suggéra d'attacher la première à la taille, comme un émetteur de micro sans fil. Quant à l'autre, il n'y avait pas trente-six solutions, il fallait la coudre dans une poche-kangourou à l'intérieur du diadème et la dissimuler à l'arrière de la tête à la hauteur de la nuque. Les rôles de chacun se précisaient. Chacun avait, dans le film, une double fonction, à la fois responsable d'un aspect technique précis de la préparation (la robe pour Xiao Hui, les LED pour Yeda), et jouait en même temps son propre rôle à l'écran. C'est en couturière, par exemple, que Xiao Hui apparaîtrait dans le film, et habillée comme telle, avec une pelote à épingles en brassard et un mètre ruban souple autour du cou, à la manière de ces saints, dans les tableaux de la Renaissance, qu'on présente toujours avec leurs attributs. Par acquit de conscience, je m'assurai quand même, mais cela me semblait aller de soi, que Chen Tong était prêt à jouer lui-même un petit rôle dans le film. Après avoir joué le rôle d'un policier dans *Fuir*, je pensais, cette fois, lui confier le rôle du préparateur du miel, le grand ordonnateur de la cérémonie (qu'il était, effectivement). Chen Tong, en Maître du miel. J'aimais cette expression, que j'avais trouvée pour qualifier le rôle, « Maître du miel », et je me réjouissais que nous ayons désormais en la personne de Sha Pan un interprète franco-chinois qui pourrait faire passer en mandarin, sans trop de déperdition, toutes les subtilités de l'expression « Maître du miel », car, si le mot Maître a une connotation évidente en Asie (c'est d'ailleurs ainsi, on le sait, que certains de ses collaborateurs appellent Chen Tong en chinois, Chen *laoshi*), l'expression « Maître du miel » renvoyait également aux Maîtres anonymes de la peinture de la Renaissance, dont le nom véritable est perdu mais dont l'œuvre est regroupée sous une appellation commune, qui est généralement empruntée à leur lieu d'origine ou à leur principale réalisation, à leur fleuron éponyme ou à leur titre de gloire, appellation qui les résume ainsi à eux seuls, tels le Maître de San Quirico d'Orcia, le Maître de la légende de sainte Marie-Madeleine ou le Maître du retable de Schöppingen, de la même manière que c'est

153

le miel, en l'occurrence, qui synthétise Chen Tong dans mon film. Sha Pan, ayant écouté ce que je venais de dire, d'abord avec attention, puis, très vite, l'œil soucieux et le front préoccupé, et à la fin avec une consternation non dissimulée, commença à traduire mes explications à Chen Tong, et, les ayant sans doute largement résumées, en négligeant l'interprétation symbolique et éludant la glose, il se concentra sur l'aspect utile du discours, la proposition que je faisais à Chen Tong de tenir un rôle dans le film. Chen Tong, qui continuait à lire son document assis à son bureau, fit simplement « oui, oui » sans relever la tête, pour confirmer son accord (oui, il veut bien jouer dans le film, traduisit Sha Pan).

Après le déjeuner, nous allâmes faire quelques dernières courses pour le film. Chen Tong n'était pas libre, mais il nous avait laissé le chauffeur et la voiture, et m'avait confié à Sha Pan (Sue, du jour au lendemain, avait complètement disparu de la circulation). C'est Sha Pan qui avait repris, sans transition, la totalité de ses fonctions et de ses attributions, à la fois guide, interprète, confident et assistant-réalisateur. La configuration dans la voiture avait également changé cet après-midi. On avait complètement rebattu les cartes, car, à côté du chauffeur, à la place habituelle de Chen Tong, se tenait de nouveau cette jeune femme inconnue qui s'était substituée à lui comme dans un tour de magie au début de la semaine. J'avais d'ailleurs le sentiment qu'elle n'avait pas quitté sa place depuis lundi dernier et qu'elle était toujours demeurée là, assise à l'avant de la voiture, pendant tout ce temps, de sorte que nous la retrouvions en somme à l'endroit exact où nous l'avions laissée. Certes, dans l'intervalle, j'avais appris qui elle était, je l'avais revue (et j'avais même dîné un soir avec elle), mais ces événements semblaient s'être passés dans un univers parallèle, à l'écart des pages de ce livre, duquel elle semblait avoir pour un temps disparu. Ici, elle semblait ne pas avoir bougé de place depuis le début de la semaine, elle était toujours assise à l'avant de la voiture, et elle regardait rêveusement devant elle, tandis que nous roulions dans une grande avenue en direction du marché. Le premier achat que nous devions faire cet après-midi, c'était des uniformes de vigile pour la dernière scène du film. J'aurais préféré, pour ma part, des uniformes de pompier, mais j'avais appris, lors d'une conversation avec Chen Tong, qu'il était impossible, en Chine, d'acheter des uniformes de pompier. J'avais fait le tour de la question avec lui (en louer un, peut-être ? avais-je suggéré), mais je m'étais heurté à un mur, comme il en surgit parfois en Chine, on ne sait pourquoi (il avait pu me trouver un Boeing, mais pas d'uniforme de pompier), auquel il est inutile de vouloir se mesurer, qu'il est préférable de contourner, en trouvant une solution de remplacement. J'avais donc imaginé, non pas de faire venir un uniforme de pompier de Corse (j'aurais bien eu une filière), mais de me rabattre sur un de ces uniformes de vigile, de gardien ou d'agent de sécurité qu'on voit partout en Chine. Le chauffeur nous avait déposés à la lisière d'un grand marché couvert, où s'alignaient à perte de vue des boutiques de vêtements professionnels, réservés essentiellement à l'hôtellerie et à la restauration, et je laissais traîner mon regard dans les vitrines, où se dressaient des mannequins sans tête vêtus en maîtres d'hôtel. Nous étions entrés dans une de ces boutiques en forme d'étroit corridor, où, dans un désordre de caisses et de cartons entrouverts, régnait un fouillis d'articles sous plastique, gilets orange haute visibilité, pantalon de pluie et brassards jaunes rétroréfléchissants. Je me déplaçais lentement le long de l'étalage, déplaçant un vêtement ici, soulevant une paire de gants là, dans cette caverne d'Ali Baba où tout était accessible. J'éprouvais un véritable plaisir enfantin à imaginer, à partir de tel ou tel accessoire que je découvrais en haut d'une étagère, quel usage je pourrais en faire dans le film, et je fis mettre de côté, à tout hasard, une boîte de dix masques jetables antipollution. Lorsque le vendeur, qui flairait en moi le bon client, sut que je cherchais un uniforme de vigile, il s'empressa de disparaître dans son arrière-boutique et revint les bras chargés de différents modèles de vestes de vigile en épaisse laine bleue, qu'il se mit à sortir des pochettes transparentes où elles étaient pliées en deux, pour les déployer devant moi, m'invitant même à en revêtir l'une ou l'autre, à essayer la casquette, car il devait supposer que c'était pour mon usage personnel que je voulais les acquérir (pour sortir avec Madeleine à mon retour à Bruxelles, qui sait). Finalement, sans aller jusqu'à en essayer une, je consentis seulement à me coiffer un instant de la casquette, et je jetai mon dévolu sur deux tenues de vigile, avec casquette rigide, insigne argenté au fronton, et bande en damier, à l'anglaise, au-dessus de la visière.

Pour regagner la voiture, il fallait retraverser le marché en sens inverse, et nous nous aventurâmes dans une galerie couverte que protégeait une verrière en vieux plastique jaune ondulé qui enveloppait l'atmosphère d'une couleur brunâtre. Nous progressions entre deux rangées d'échoppes en bois, à la devanture desquelles étaient exposés de grands sacs en toile de jute remplis de riz, de graines, de fruits séchés. Ici et là, devant la vitrine d'une gargote dont le store était déployé, stationnaient une grappe de vélos et quelques triporteurs. Nous avions presque atteint la sortie, on devinait déjà l'air libre de l'autre côté du passage, quand, au détour d'une allée, j'aperçus à la devanture d'une boutique une vieille caisse en bois dans laquelle étaient entreposées en vrac des abeilles. Des abeilles ! Je regardais ces abeilles mortes surgies de nulle part, qui ne semblaient destinées qu'à moi seul, comme si elles avaient été placées là exprès par un tour du destin particulièrement roué. Je n'en revenais pas de la fragilité de ce hasard, de sa ténuité, de son infinie délicatesse, qui avait mis là ces abeilles mortes sur mon chemin, car la probabilité était quasiment nulle que je passe précisément à cet endroit aujourd'hui dans l'allée perdue de ce marché couvert. Et, pourtant, Dieu sait combien j'avais besoin de ces abeilles mortes pour mon film. C'était d'autant plus indispensable que je savais maintenant avec certitude que je ne pourrais pas compter sur les abeilles vivantes de l'apiculteur. Mais comment aurais-je fait, sur le tournage, sans abeilles, comment aurais-je filmé l'actrice au moment où elle tombait sur le podium et qu'un essaim d'abeilles était censé l'attaquer. Car cette scène aussi, bien sûr, j'avais l'intention de la filmer, ce moment dramatique où l'actrice nue et en miel qui vient de tomber sur le podium tente d'échapper à l'essaim d'abeilles qui se rue sur elle. Et voici que la solution se présentait à moi miraculeusement à l'instant, sous la forme de ces abeilles mortes, qu'il me suffirait de coller en grand nombre sur le dos de l'actrice, sur ses épaules, dans son cou, sur sa nuque, et qui me permettraient de créer l'illusion, à l'image, que c'était de vraies abeilles qui l'avaient attaquée ! Sha Pan, impassible, regardait la caisse d'abeilles mortes avec indifférence. Il en saisit une poignée dans sa main, qu'il porta à son nez pour les humer. C'est des huîtres, dit-il.

C'était, en effet, des huîtres. Et alors ? Des petites huîtres séchées. Mais personne ne parlait de les manger. Peu importait leur goût, peu importait leur consistance. Je voulais les filmer, rien d'autre. Et, visuellement, et c'est la seule chose qui comptait, elles ressemblaient à des abeilles, même taille, même couleur. Certes, en se penchant de plus près sur la caisse et en les examinant plus attentivement, il fallait bien admettre qu'il n'y avait pas de pattes, pas d'ailes, pas d'antennes (enfin, vous avez déjà vu des huîtres). Mais, la première impression était frappante, ainsi rassemblées par centaines d'individus serrés les uns contre les autres en vrac dans cette caisse, avec cette couleur jaune doré, cette dominante fauve qui rappelait l'abdomen tigré des abeilles, ces petites huîtres séchées ressemblaient à s'y méprendre à des insectes, et rien ne viendrait entamer mon enthousiasme. On va en prendre deux cents grammes, dis-je. Sha Pan s'introduisit dans l'échoppe et revint avec une marchande, qui, armée d'une petite pelle, remplit d'huîtres séchées un sachet transparent. Sha Pan paya et nous regagnâmes la voiture, joignant à nos achats du jour ce sachet dont j'étais si fier. Je le soulevai à la hauteur de mon visage et je regardai encore une fois avec tendresse en transparence ces huîtres séchées (finalement, vous savez à quoi elles ressemblaient, à des petites moules).

De retour à la voiture, je songeais, en répartissant les différents sachets de nos achats dans le coffre, qu'il y avait quelque chose de vertigineux à penser combien, à tous les moments de notre vie, nous sommes soumis au hasard. Mais c'est une illusion de croire que nous sommes le jouet de forces qui nous échappent ou agissent sur nous à distance, pour faciliter nos actions ou les entraver. Non. Nous sommes, certes, fondamentalement dépendants du hasard, mais nous ne sommes pas soumis à ses caprices. Il en est du hasard comme de l'inconscient, qui travaille en nous mais ne nous impose aucune loi. Dans l'art, comme dans la vie, nous ne sommes pas plus livrés à la tyrannie du hasard qu'à celle de l'inconscient. Il y a, dans notre esprit, une force parallèle, qui contrebalance la toute-puissance de ces deux continents invisibles, c'est notre volonté consciente. Je ne crois pas que les œuvres que je crée soient ouvertes à tous les vents du hasard, même si elles sont nourries en permanence d'une infinité d'événements fortuits, qui les façonnent et les fécondent. Mais c'est là, je dirais, l'intervention d'un hasard en mode mineur, un hasard de faible magnitude. Il est vrai que je recherche rarement les grands effets, c'est toujours sur des oscillations minuscules que je travaille, que seuls les instruments les plus fins sont susceptibles de percevoir. La voiture était repartie, et je somnolais ainsi songeusement sur la banquette arrière, en continuant de me laisser bercer par la douce euphorie d'avoir réglé la question des abeilles. Je me contentais de fermer les yeux, par brèves périodes, pour essayer de trouver un peu de repos réparateur. Je rouvrais un œil de temps à autre, avec volupté, sans bouger un seul membre, pour essayer de me rendre compte de l'endroit où nous nous trouvions, quel périphérique nous étions en train de rejoindre, quel pont nous étions en train de traverser. Nous fîmes encore une dernière halte dans une boutique spécialisée en matériel d'apothicaire, où nous fîmes provision d'accessoires pour la préparation du miel, des alambics, des vases à distillation, des éprouvettes et des seringues.

Nous avions fini nos courses, et nous regagnions les bureaux de Chen Tong. La voiture roulait au pas sur le périphérique, il commençait à faire nuit. Au bout d'un moment, la jeune femme assise à côté du chauffeur se retourna vers moi et se mit à me dévisager en silence. Elle s'appelait Hanting, elle avait un visage doux et mystérieux, les traits fins, et elle était l'illustratrice des couvertures de mes livres en chinois. Elle me regardait avec beaucoup d'attention, posément, avec une expression rêveuse et respectueuse. Elle dit quelque chose en chinois à Sha Pan, qui me traduisit la phrase mécaniquement, sans même me regarder, en continuant de regarder dehors par la vitre : « Elle veut savoir, quand vous ne travaillez pas, quels sont vos loisirs ? » Hanting n'avait pas bougé et continuait de me scruter attentivement par-dessus son siège. Je lui répondis, et Sha Pan traduisit ma réponse. Hanting, satisfaite, se remit à regarder la route droit devant elle. Puis, comme les embouteillages se poursuivaient, elle se retourna de nouveau vers moi et, tout en m'observant attentivement, me demanda quelle était ma couleur préférée. Je lui dis que j'aimais le bleu, et le noir aussi, et, lorsque Sha Pan eut traduit ma réponse, elle acquiesça, pensive, bienveillante, toujours tournée vers moi. Les avant-bras posés sur le dossier de son siège, et le menton mélancoliquement déposé sur les mains, elle continuait de me regarder rêveusement, et cette fois, elle enchaîna tout de suite en me demandant quel était mon fruit préféré. La pomme, dis-je. Sha Pan traduisait tout automatiquement, sur le même ton

162

froid et détaché, sans mettre la moindre intonation, délicatesse ou soupçon d'ironie. Après lui avoir traduit ma réponse et écouté sa réaction, il me dit que, elle, elle n'aimait pas la pomme. Je ne fis pas de commentaires, je me contentai de faire « dommage » du regard, et elle me répondit avec un sourire désolé. On avait fini par faire complètement abstraction de l'interprète. D'ailleurs, je commençais à me dire que sa médiation était devenue inutile, notre conversation pouvait très bien passer sans les mots, nous pouvions continuer de communiquer simplement par des échanges de regard. La dernière question qu'elle me posa, encore plus étrange, encore plus radicalement imprévisible que les précédentes, mais tout aussi sensible et poétique, fut : « Vous aimez quelle forme géométrique ? », mais je n'eus pas le temps de lui répondre, car le téléphone de Sha Pan se mit à vibrer dans la poche de son anorak. C'était Desi, qui nous informait qu'il était possible de rencontrer l'actrice, l'autre, la Russe, celle que j'avais vue en vidéo sur un téléphone à la Foire de Canton, nous avions rendez-vous avec elle dans une heure.

Desi, craignant que nous n'arrivions en retard au rendez-vous, guettait notre retour sur le perron des bureaux de Chen Tong. Nous déchargeâmes la voiture à la hâte, allant déposer nos courses en vrac sur une table de la bibliothèque vitrée, les trois sachets de vêtements avec les vestes de vigiles et les casquettes, les divers cartons de matériel pour le miel, sans compter le sachet avec les huîtres, qui était ma plus belle prise de la journée, le principal trophée de ce butin pourtant riche que nous ramenions de nos pérégrinations, comme si, après avoir butiné tout l'après-midi dans différents vergers, nous rapportions maintenant à la ruche les fruits de notre récolte. Nous eûmes à peine le temps de souffler qu'il fallait déjà repartir au rendez-vous avec l'actrice. Nous quittâmes les bureaux à la hâte et nous éloignâmes à grands pas dans l'obscurité, remontant Yile Lu pour essayer de trouver un taxi sur le grand boulevard où se trouve l'université Sun Yat-sen. Levant le bras en bordure du trottoir, Desi essayait en vain d'en arrêter un. Nous étions en retard, et, après quelques nouvelles tentatives infructueuses, nous retournant encore une dernière fois pour essayer d'apercevoir un taxi libre dans la circulation, nous nous résolûmes à prendre le métro. C'était l'heure de pointe, et nous étions serrés les uns contre les autres dans une rame surchargée. Il y eut plusieurs changements, et de nouveaux longs couloirs à traverser. L'heure tournait, et Desi, penché sur son téléphone, envoyait en permanence des messages instantanés à Shirley pour lui dire qu'on arrivait. Arrivés à destination, dès que les

164

portes s'ouvrirent, Desi bondit hors de la rame et partit en courant sur le quai, s'engouffra en éclaireur dans l'escalator pour aller rejoindre Shirley et l'actrice dans le hall de la station de métro.

Lorsque, je débouchai dans le hall, je fus immédiatement frappé par l'élégance naturelle de l'actrice, son port altier, sa beauté austère. Elle portait un large pull blanc en laine à grosses côtes, négligemment remonté sur ses avant-bras, des leggings gris et des tennis blanches. La lumière blafarde du hall renforçait encore la pâleur de ses traits. Elle n'avait pas le moindre maquillage. Manifestement elle n'avait fait aucun effort pour venir au rendez-vous, elle ne s'était même pas donné un coup de peigne, on eût dit qu'elle sortait d'une sieste et qu'elle avait simplement passé un gros pull par-dessus ses leggings, les cheveux encore ébouriffés au contact tiède des coussins. Je lui demandai si elle parlait anglais, et elle fit oui de la tête. Elle demeurait soupçonneuse, sur ses gardes. Elle continuait de me regarder fixement de ses yeux bleus sévères. Je lui dis alors quelques mots du film — et elle me coupa la parole (c'est la première fois que j'entendais le son de sa voix), m'interrompant pour s'étonner que je lui parle d'un film, alors qu'on lui avait dit qu'il s'agissait d'une séance de photos (*a shooting*). Je me tournai vers Shirley, qui parut embarrassée mais ne fit aucun commentaire, m'invitant à poursuivre mes explications. Nous étions là, dans le hall de cette station de métro, et j'étais en train d'expliquer à l'actrice le rôle qu'elle devait tenir dans mon film. Par la force des choses, depuis que j'étais arrivé, je faisais mentalement la comparaison entre les deux actrices que j'avais vues aujourd'hui, et, si celle que j'avais rencontrée ce matin était de bien meilleure composition, même si sa complaisance, cela ne m'avait pas échappé, n'était pas sans arrière-pensées (mais je ne vois pas pourquoi il ne faudrait pas être extraordinairement gentil avec moi quand je propose une collaboration artistique à quelqu'un), j'avais tout de suite compris que ce serait elle, cette Russe intimidante, en face de moi, qui jouerait dans *The Honey Dress*.

Mon intuition — qui ne tenait à rien, à cette première impression que je venais d'avoir en la découvrant dans le hall impersonnel et blanchâtre de cette station de métro — me disait que c'était elle qu'il fallait choisir. Elle avait très exactement ce que je cherchais, une présence, de l'allure, de la classe, de la prestance. Je n'avais encore fait part à personne de mon choix, mais personne ne semblait attendre de confirmation de ma part. L'affaire semblait réglée depuis que l'actrice, elle-même, après une réserve de pure forme, avait fini par donner son accord pour jouer dans le film. Sha Pan avait informé Shirley de la date du tournage, et ils étaient déjà en train de comparer leurs calendriers dans leurs agendas respectifs, un grand cahier noir à spirales pour Shirley, et son téléphone pour Sha Pan, sur l'écran duquel il était en train de pianoter. Pour ma part, sans sortir du cadre strict de mes attributions, je voulais quand même régler quelques détails avec l'actrice avant le tournage, comme si, nos représentants s'étant mis d'accord sur le principe d'un mariage de raison, il ne nous restait plus qu'à régler la question du trousseau. Je procédai par ordre, point par point. Pour la coiffure, j'imaginais les cheveux relevés, je voulais le visage dégagé. Pour les chaussures, je lui laissais me faire une proposition elle-même parmi sa garde-robe, il était important qu'elle soit à l'aise pour défiler sur le podium. Elle m'écoutait attentivement, semblant enfin s'intéresser à quelque chose depuis que nous abordions ces grandes questions (sa coiffure, ses ongles, ses chaussures). Elle m'adressa même incidemment un sourire, et, quand il fallut évoquer le string qu'elle porterait pendant le tournage — c'était là le dernier point, le plus délicat, à aborder, et qui plus est dans une station de métro —, j'eus le sentiment que, pour la première fois depuis que nous nous connaissions, elle s'intéressait vraiment passionnément à la conversation.

L'entretien touchait à sa fin, et je suggérai à Sha Pan d'aller rejoindre les deux jeunes femmes de l'autre côté de la cloison en aluminium qui nous séparait (nous n'avions même pas encore eu le temps de passer les portillons). Nous franchîmes les tourniquets et, lorsque nous débouchâmes de l'autre côté, les deux jeunes femmes avaient disparu, Shirley, qui reprenait le métro, avait passé les portillons en sens inverse et on l'apercevait déjà qui disparaissait lentement sur les escaliers mécaniques vers les profondeurs souterraines de la station, tandis que l'actrice, qui avait sans doute prévu de regagner son domicile à pied, partait sans même se retourner pour nous dire au revoir. Je la suivis à l'extérieur. Elle était déjà à dix mètres de moi, et je la regardais s'éloigner lentement dans la nuit. Elle dut se sentir observée car elle se retourna, un bref instant, avant de passer le coin, et me fit un signe à distance, avant de disparaître à l'angle de la rue, en laissant, dans le champ vide qu'elle venait de quitter, un clignotement de néon rouge sur le trottoir désert. Je restai un instant sur place, songeur, en laissant se dissiper dans mon esprit la dernière image qu'elle m'avait laissée d'elle.

Après le rendez-vous, nous allâmes dîner tous les trois, Sha Pan, Desi et moi, nouvelle configuration inédite, dans un restaurant des environs de l'hôtel Rosedale. On nous avait apporté des raviers avec des sauces au soja et à la prune salée, des crêpes à la vapeur, des lamelles de poireaux, et nous piochions entre nos baguettes de fines tranches de canard, la peau joliment rôtie et croustillante. Sha Pan, qui recrachait de temps à autre de petits os dans son assiette, traduisait au fur et à mesure les paroles de Desi, qui était en train de nous raconter un rêve qu'il avait fait, dans lequel j'apparaissais. Je regardais Desi assis en face de moi, en col roulé noir, avec ses traits réguliers qui donnaient à son visage un profil d'estampe. Je trouvais qu'il y avait quelque chose de singulier, et presque d'émouvant, non pas qu'il ait rêvé de moi, encore qu'il n'était pas si fréquent qu'on rêve de moi et qu'on me fasse de telles confidences, mais qu'il ait envie de me raconter son rêve, car je sentais qu'il le faisait comme un hommage, comme un égard, comme un profond témoignage de respect. J'avais éprouvé une émotion similaire quelques jours plus tôt, lorsque Yeda avait profité d'un instant où nous étions seuls, sans interprète, pour me dire directement, en anglais, avec simplicité, combien cela lui faisait plaisir de travailler avec moi. Et c'est également ce même type d'émotion que j'avais ressentie lorsque Hanting, un soir au début de la semaine, dans un restaurant, m'avait montré les esquisses des différentes couvertures qu'elle avait réalisées pour mes livres, à l'encre et à la gouache, scrutant mon avis de son regard attentif et rêveur, et qui avait paru si soulagée, et si heureuse, de m'entendre dire que je les aimais beaucoup. J'avais compris, alors, sans que ce soit nécessairement exprimé verbalement, combien les jeunes artistes de l'entourage de Chen Tong avaient de respect pour mon travail, combien c'était une expérience précieuse pour eux de travailler avec moi, et j'étais sincèrement touché de cette reconnaissance. Le rêve qu'était en train de nous raconter Desi me faisait penser à certains rêves que j'ai faits dans les mois qui ont suivi la mort de mon père, où mon père m'apparaissait comme étant gravement malade, je le voyais émerger devant moi dans mon rêve, le visage pâle, avec quelque chose de résigné dans le regard, et je ne savais pas si je devais me réjouir de découvrir qu'il était toujours vivant ou m'inquiéter de l'extrême faiblesse de son état. Dans le rêve de Desi, j'étais un moine dans la montagne, et un animal néfaste ou maléfique, un serpent peut-être, apparaissait près de moi, qu'une nuée de papillons faisait disparaître. Le décor du rêve se transformait, cela devenait la mer et le ciel à l'horizon, et j'étais toujours là, habillé en moine, comme si je me tenais debout à la surface de l'eau, entouré de papillons, et c'est alors qu'il s'était réveillé, nous dit Desi en riant. Mais

170

ce n'était pas tout. Il s'était rendormi, et il avait aussitôt rêvé de moi à nouveau. Mais, cette fois, c'était dans un décor plus réaliste, il me croisait dans un restaurant, un restaurant dans le genre de celui-ci, dit-il en faisant un geste autour de lui, et dans son rêve il me demandait ce que je faisais là, et je lui répondais que je venais de me réveiller et que je cherchais un restaurant parce que j'avais faim — et, c'était tout, son rêve s'arrêtait là, et il se mit de nouveau à rire, avec une expression un peu gênée, et il baissa les yeux, avec pudeur, sur son assiette. Moi aussi, je baissai les yeux. J'étais soudain ému. J'avais la gorge serrée et les yeux embués. Je ne dis rien, je ne savais pas quoi dire, je retirai un petit os de canard de ma bouche et je le posai pensivement dans mon assiette, sans relever la tête. J'avais envie de pleurer. C'était con, mais j'avais envie de pleurer, comme Madeleine, à Shanghai, le dernier soir de notre plus récent séjour en Chine, après le dîner chez Lu Yi et sa nouvelle compagne, avec laquelle Madeleine avait sympathisé et échangé de délicates attentions car elle aimait beaucoup ses dessins. Madeleine était assise à côté de moi dans le taxi qui nous ramenait à l'hôtel, et je sentais qu'elle avait été émue par cette soirée, Madeleine qui avait cette faculté d'empathie avec les gens et cette capacité incomparable pour susciter de l'émotion, et je la regardais ce soir-là dans la pénombre du taxi tandis

171

que les lumières nocturnes de Shanghai passaient sur son visage, le visage très sérieux de Madeleine, très grave, un peu perdu, soudain désemparé, ce visage qu'elle avait quand elle avait envie de pleurer, cette onde qui montait et déformait ses traits, sa figure qui se plissait et les larmes qui venaient, irrépressibles. Je ne me voyais pas moi-même, ce soir, dans le restaurant, mais c'est cette tête que je devais avoir, la tête de Madeleine quand elle a envie de pleurer. Il y a si longtemps, moi, que je n'ai pas pleuré. Je me ressaisis, et je changeai de sujet de conversation, mais je songeais, le cœur serré, que j'avais bien fait d'être venu en Chine cet automne, car ce n'était qu'ici que je pouvais vivre de tels instants, rencontrer une telle qualité d'émotion.

Le lendemain, je n'avais aucune obligation, je passai une longue matinée calme à l'hôtel. Je me levai tard et je traînai dans ma chambre, j'allai prendre le petit déjeuner au premier étage juste avant dix heures, dans la grande salle à manger vide de l'hôtel Rosedale où les serveurs commençaient déjà à débarrasser les chauffe-plats. L'après-midi, nous fîmes les premières répétitions au Times Museum. Jianhua nous accueillit à la sortie des ascenseurs au dix-neuvième étage du musée. Nous le suivions dans les salles, les bras chargés de caisses et de ruches vides, que nous déposâmes au hasard contre les murs. Jianhua, en maître de maison, nous fit visiter les lieux, nous montra la régie lumière, nous ouvrit la porte des réserves. Nous allions et venions dans le musée, on déplaçait des meubles, on disposait des chaises le long d'un podium de mode imaginaire. Je fis installer la caméra sur pied, tandis que, ici et là, dans le décor, assis sur des caisses, on cousait, on suturait, on faisait les ultimes retouches pour la robe en miel. Je distribuai les derniers rôles pour le film, et nous sortîmes les costumes de vigile des sacs en plastique, que le bibliothécaire et un collègue de Chen Tong essayèrent tout de suite, en chaussettes et caleçon dans le décor, boutonnant la veste et ajustant la casquette. À la tombée de la nuit, nous fîmes les premiers essais avec la caméra. Je me tenais debout, l'œil dans le viseur, et je fis allumer toutes les lampes au plafond de la pièce, éteindre, puis allumer à nouveau, seulement par rangées. Je criais mes consignes à distance, et Jianhua s'exécutait depuis le local de la régie lumière, allumait les spots au plafond, tous ensemble ou individuellement, selon mes indications. Finalement, je décidai de n'utiliser aucune des lumières du musée, qui me paraissaient trop blanches, trop franches, trop éclatantes. Je voulais que la scène ait lieu dans la pénombre, et j'échangeai quelques mots en anglais avec l'opérateur au sujet de la profondeur de champ. Je fis éteindre toutes les lumières, et, me penchant sur l'œilleton de la caméra, j'aperçus la ville en arrière-plan derrière la baie vitrée, avec quelques néons qui clignotaient ici et là aux angles des toits et les phares des voitures perdues dans la circulation qui se diffractaient dans la nuit.

Le jour suivant — c'était déjà la veille du tournage — nous apportâmes dans le décor un énorme rouleau de moquette, d'au moins trente mètres de long, que nous avions acheté dans un magasin de vente en gros. Le rouleau ne rentrait pas dans la camionnette que nous avions louée pour l'occasion, et il fallut descendre de voiture et pousser, à plusieurs, pour faire entrer la moquette dans le véhicule, certains des collaborateurs de Chen Tong gardant ensuite la tête baissée pendant le reste du trajet, tandis que deux d'entre eux, accroupis dans le coffre, veillaient de chaque côté du monstrueux rouleau. Il fallut le porter à quatre, ou cinq, l'escortant comme un convoi exceptionnel, pour qu'il passe les portes du musée, puis il fallut le redresser à la verticale dans l'ascenseur, pour, enfin arrivés, commencer à le dérouler sur lui-même avec un sentiment de délivrance, tout au long de la salle où aurait lieu le défilé. Chen Tong, alors, commença à le découper, accroupi sur le sol, en chaussettes, studieux,

174

ses lunettes sur le nez, divisant la moquette à angle droit avec des grands ciseaux pour se conformer au parcours du podium. Une fois le podium installé, des piquets de mise à distance furent déplacés pour protéger le site et en interdire l'accès, et on installa tout au long du parcours des feuilles de journaux sur le sol, comme autant de dalles sur un chemin de mousse, pour pouvoir circuler sans laisser de traces sur la moquette noire et neuve. Tout le monde, à présent, se déplaçait en chaussettes dans le musée.

La principale question du jour, ce fut le string de l'actrice. La question nous valut, à moi et à l'actrice, ou plutôt à nos représentants respectifs, d'infinies discussions, mises au point, échanges de coups de téléphone et messages, ce qui peut sembler paradoxal au regard de la taille du vêtement concerné, à peine quelques centimètres carrés de tissu. Cela avait commencé dès le matin, dans les bureaux de Chen Tong, au moment de la rédaction du contrat avec l'agent artistique. Nous étions cinq, dans la bibliothèque, et la question s'était immédiatement posée, dans toute sa complexité byzantine : c'est quoi, un string ? De casuistes nuances avaient surgis, tandis que tous les cinq, dans la bibliothèque, penchés sur un vieil ordinateur relié à Internet, nous faisions défiler des photos de strings sur l'écran, pointant de temps à autre, pour préciser une nuance, de la pointe d'un stylo, un détail sur l'image. Pour le contrat, qui était rédigé en français, nous décidâmes, afin d'éviter toute contestation, d'utiliser le mot anglais « *t.back* », mot dont je n'avais jamais entendu parler (et que je confondais, pour ma part, avec le mot anglais « *t.bone* », ce qui, chaque fois que je l'employais, faisait lever à Shirley un sourcil étonné, réprobateur et méprisant). Je crus qu'avec cette façon d'inscrire « *t.back* » dans le marbre du contrat, l'affaire serait réglée, mais pas du tout. Dans l'après-midi, dans la camionnette qui nous menait au Times Museum, Desi reçut un message qui m'était destiné et, me faisant passer son téléphone de main en main dans l'habitacle pour me le faire parvenir, comme au bon vieux temps, quand le courrier était encore porté manuellement, et qu'il n'arrivait pas instantané-ment via les messageries électroniques. Réception-nant le téléphone de Desi, je regardai l'écran et découvris ce que j'appellerais, personnellement, une petite culotte. C'est ce que propose l'actrice, dit Desi, est-ce que ça va ? Je regardai encore un instant avec attention cette petite culotte couleur chair sur l'écran du téléphone, et je répondis que ce n'était pas un string. J'aurais pu, certes, être moins raide, et la question aurait été réglée, on n'en aurait plus parlé. Mais on avait dit un string, et un string, c'est un string, ce n'est pas une petite culotte. Qu'est-ce que je réponds ? demanda Desi (Sha Pan traduisait à mesure, la tête penchée sous le rouleau de moquette). Entre-temps, malgré l'inconfort de leurs positions, d'autres personnes présentes dans la camionnette, voulant prendre part au débat, s'étaient mises à faire des recherches sur Internet sur leur propre téléphone, et, à un certain bouillonnement que je devinais derrière moi, à des bribes de phrases et des rires étouffés que je captais dans mon dos, je compris qu'ils s'étaient connectés à des sites de sex-shops. Yeda me tendit son téléphone, et, sur l'écran, j'aperçus un string rouge parfaitement conforme à l'idée que je me faisais d'un string (et, partant, à l'idée de ce que devrait être, *sub specie aeterni*, un string), et je fis savoir à Desi que oui, c'était exactement ça que je voulais. Il n'avait qu'à faire parvenir cette photo à Shirley. Voilà où nous en étions (nous n'attendions plus que la confirmation de Shirley).

La nuit était tombée au dix-neuvième étage du musée, et il y avait des caisses et des vêtements partout dans le décor, des projecteurs, des boîtes à couture ouvertes, des ruches empilées sur une table à tréteaux, sans compter une multitude de batteries qui rechargeaient sur le sol dans un désordre de câbles et de fils électriques. Vers dix-neuf heures, précédé d'un brouhaha de voix et d'une rumeur de pas qui grandissaient dans les salles voisines, Chen Tong fit son entrée dans le décor, accompagné de trois ou quatre assistants qui le suivaient avec des caisses grises en plastique hermétiquement fermées qu'ils portaient à bout de bras. Ils posèrent les caisses par terre, les ouvrirent et commencèrent à sortir des Tupperware de différentes tailles qui fumaient légèrement. C'était notre dîner, que Chen Tong s'était fait livrer au musée depuis un restaurant des environs. Une grande table basse de fortune fut installée le long de la baie vitrée, autour de laquelle on disposa des chaises, des caisses renversées, des tabourets. On commença à disposer les raviers sur la table, comme au restaurant, avec les divers plats, une vingtaine, du poulet, du porc, du canard, des légumes. Dans une autre caisse, il y avait du riz. On se servait avec nos baguettes, à même les plats, nous penchant à l'occasion par-dessus la table pour atteindre un ravier éloigné. Nous pique-niquions là au dix-neuvième étage du musée dans le décor du film, parmi les caisses de matériel et des entassements d'accessoires. L'atmosphère était chaleureuse et cordiale. Tout le monde parlait chinois autour de moi, et je me sentais bien, fondu dans cette assemblée à laquelle j'avais le sentiment d'appartenir, même si j'en ignorais la langue. J'étais assis sur un tabouret le long de la baie vitrée, et, de temps à autre, mon bol de riz

178

à la main, je regardais Hanting de l'autre côté de la table, qui portait rêveusement à sa bouche un fragment de légume entre ses baguettes. À la fin du dîner, Chen Tong se leva pour prendre la parole, et, comme la veille, au restaurant, je commençai à ressentir de l'émotion, à mesure que Sha Pan me traduisait ses paroles. Le discours de Chen Tong me touchait profondément, qui me faisait sentir, au-delà des cultures et des langues, ce que pouvait être la réussite d'une collaboration professionnelle, ce que pouvait être l'amitié. Il donnait quelques consignes à l'assistance pour le tournage, demandant aux personnes présentes d'être simplement concentrées pendant le travail, de faire ce qu'elles avaient à faire du mieux qu'elles pouvaient, sans essayer de deviner mes intentions. Il avoua que le chemin que je menais lui semblait souvent déconcertant, parfois incompréhensible, mais qu'il fallait l'accepter, et je me rendis compte alors, sans qu'il le dît explicitement, qu'il avait aimé le film *Zahir* qu'il avait découvert il y a quelques jours, qu'en voyant le film terminé, il avait compris mes intentions, et que c'était cette leçon qu'il voulait partager avec ses collaborateurs. Sur le moment, peut-être, on ne comprenait pas très bien ce que je voulais faire, mais, par la suite, avec le recul, avec le montage, avec la musique, les choses finissaient par s'éclairer. Il fallait, en somme, disait-il, me faire confiance. Je l'écoutais, et j'étais d'autant plus touché que j'avais le sentiment que c'était autant à eux qu'à moi qu'il s'adressait, et que moi aussi, malgré l'inquiétude grandissante que je ressentais à l'approche du tournage, je devais me faire confiance et me fier à mon instinct, et que ce ne serait qu'une fois le film achevé, monté, et accompagné de la musique, que moi aussi, peut-être, je comprendrais quelque chose à ce que j'avais voulu faire.

Après le dîner, comme la veille, nous fîmes quelques répétitions dans les conditions réelles du tournage avec la doublure de l'actrice. En réalité, nous avons dû faire appel à deux doublures pendant le week-end, car la jeune femme qui nous avait aidés le premier soir ne put revenir le lendemain, et nous dûmes lui trouver une remplaçante (la doublure de la doublure en quelque sorte). Les deux doublures étaient physiquement aussi dissemblables que possible. La première, Florence, selon la terminologie en vigueur dans les écoles de langue de Guangzhou, était une ancienne condisciple de Sha Pan, une jeune Chinoise moderne, qui parlait très bien français et comprenait au quart de tour ce qu'on attendait d'elle. Mais elle n'avait pas pu revenir le deuxième soir, et nous dûmes lui trouver une suppléante au pied levé, que nous avions dénichée dans une

école de mannequinat. C'était une Chinoise énigmatique, plus grande que moi, les jambes très
longues, interminables, avec des lunettes, un long
cou et une tête de libellule. Nous lui fîmes revêtir
l'armature de la robe, et elle se glissa prudemment
dedans, une jambe après l'autre, tandis que Yeda
allumait les LED du diadème sur son front avec
une télécommande. Au top départ, elle s'élançait
sur la moquette, élégante et en lévitation, et l'opérateur la précédait, caméra à l'épaule, accompagné de Chen Tong qui portait un projecteur
mobile en marge du travelling pour éclairer son
visage. Nous refîmes des dizaines de fois le même
parcours. À chaque fois, l'opérateur suivait la
jeune femme le long de la moquette à petits pas
glissés et précipités pour suivre sa progression
jusqu'au projecteur qui éclairait frontalement la
scène à l'extrémité du podium. Puis, tandis qu'il
reprenait son souffle, nous visionnions les bouts
d'essai qu'il avait faits dans le viseur de la caméra,
en faisant des commentaires et suggérant des
améliorations. Un peu avant minuit, rassurés et
confiants, nous pliâmes bagage, rangeâmes la
caméra dans son étui et éteignîmes les lumières
dans le décor. En quittant le musée, tandis que
nous regagnions les voitures, Desi vint me trouver
pour me dire que l'actrice ne voulait pas du string
qu'on avait proposé. Elle trouvait que cela faisait
mauvais genre (*prostitute*, dit-il), et elle insistait

pour porter la petite culotte chair dont elle m'avait envoyé une photo. Il me demanda ce qu'il fallait répondre. Je réfléchis un instant et décidai de me montrer accommodant (bon, eh bien, va pour la petite culotte chair, me dis-je, on ne va pas en faire un casus belli).

Le soir du tournage, il faisait encore jour lorsque nous arrivâmes au musée, et nous circulions entre les salles pour faire les derniers préparatifs, Chen Tong, accroupi par terre, était en train d'installer un chauffage d'appoint dans le décor pour le confort de l'actrice, car la température venait de tomber de dix degrés du jour au lendemain à Guangzhou. Le début du tournage était prévu à 19 heures, la tension montait. La nuit commença à tomber, et nous sortîmes sur la terrasse avec l'opérateur, au dix-neuvième étage du musée, pour faire quelques plans larges du paysage urbain dans la nuit. La tension monta encore d'un cran quand on nous annonça que l'actrice venait d'arriver au rez-de-chaussée du musée (Desi, chuchotant au téléphone, nous informait de sa position en temps réel, minute par minute, l'actrice est encore en bas, elle vient de monter dans l'ascenseur). Tout était en place pour l'accueillir. Nous lui avions préparé une loge dans un local technique, que j'étais allé inspecter une dernière fois dans l'après-midi, avec un miroir sur pied et un coin pour le maquillage, un peignoir qui pendait sur un cintre, une boîte de mouchoirs, deux serviettes de bain blanches et une paire de chaussons que j'avais apportés moi-même de l'hôtel Rosedale. On sentit une agitation à proximité des ascenseurs, et l'actrice fit alors son apparition dans le décor, une cape sur les épaules, nullement souriante, entourée de Shirley et d'un autre agent artistique, un type taciturne avec des lunettes à verres fumés rose foncé, qui portait une longue gabardine en cuir noir. L'actrice était glaciale, le visage hautain. Elle jeta un regard attentif autour d'elle sur le décor, fière, souveraine — un cygne. Nous avions répété avec une libellule, et c'est un cygne que nous avions pour le tournage.

J'avais confié l'actrice à deux membres de l'équipe, qui l'accompagnèrent au maquillage, et j'attendais son retour, debout à côté de la caméra sur le plateau désert. J'avais déjà une idée très précise de ce que serait la première image du film. Juste après le générique, on découvrirait en plan large l'actrice nue dans le décor, les bras levés, une maquilleuse à ses côtés, qui serait en train de lui poudrer le corps. Mais il me semblait que ce soir, il ne fallait pas commencer le tournage par une scène où l'actrice serait déjà dénudée, ce qui l'aurait obligée à attendre nue en face de nous sur le plateau pendant les derniers réglages. Non, il valait mieux prendre la scène un peu en amont, quitte à couper ensuite le début inutile au montage, de manière à permettre à l'actrice de commencer sa première scène en peignoir, et d'entrer dans le champ en provenance des coulisses, accompagnée de deux maquilleuses. Ce ne serait qu'à ce moment-là, une fois en place à l'endroit déterminé, que les maquilleuses lui enlèveraient son peignoir et la dénuderaient, de sorte qu'elle serait déjà en train de jouer son rôle dans le film quand elle apparaîtrait pour la première fois nue en face de nous.

L'actrice nous rejoignit alors sur le plateau, indécise, en peignoir de bain blanc et chaussons de l'hôtel Rosedale. M'avançant vers elle, et la prenant à part, je lui expliquai en anglais à voix basse ce qu'elle devait faire, je lui indiquai sa position de départ, depuis les coulisses, et sa position d'arrivée, que nous allâmes repérer ensemble. Je lui montrai où était la caméra. Je lui demandai si elle était prête, et je lui dis que nous allions tourner immédiatement, nous avions déjà répété plus de vingt fois la scène ces derniers jours, et tout le monde connaissait ses positions au millimètre. Je demandai à l'actrice de bien vouloir aller se mettre en place, et je rejoignis la caméra. Je voyais l'actrice, qui attendait dans les coulisses, la tête penchée, concentrée, les mains le long de son peignoir blanc. Je demandai le silence. Je mis la caméra en route. Cela tournait. J'interrogeai l'opérateur du regard, qui me confirma que sa caméra tournait aussi. D'un léger mouvement de la main, j'invitai l'actrice à y aller. Je me replaçai devant l'œilleton, et, suivant la scène dans le viseur de la caméra, je vis entrer l'actrice dans le champ, accompagnée des deux maquilleuses, et, lorsque les maquilleuses lui retirèrent son peignoir, je découvris pour la première fois l'actrice entièrement nue en face de moi, et je fus saisi par la proximité de son corps dénudé, si proche et si fragile, qui me fit retrouver l'étrange émotion qu'on éprouve à chaque fois qu'une femme se déshabille en face de soi dans la pénombre d'une chambre. L'actrice était nue devant moi, et ce que je vis alors, dans le viseur de la caméra, ce n'est pas simplement la première prise de mon film qui était en train de se dérouler sous mes yeux, non, c'était bien au-delà, ce que je vis alors, tandis que l'actrice levait avec grâce une jambe après l'autre pour se glisser à l'intérieur de l'armature de la robe en miel, et que Yeda, monté sur une échelle, lui ceignait le front de LED, qui s'illuminèrent soudain en jetant dans la pièce des nappes de lumière successivement verte et blanche qui allaient se refléter sur les vitres du décor et nimbaient le corps nu de l'actrice d'une auréole de lumière fluide, c'est

185

mon film en entier, déjà monté et accompagné de la musique, que je voyais se matérialiser en temps réel sous mes yeux.

Je me souviens que j'avais voulu introduire un jour de la musique dans un de mes livres, lorsque le narrateur et Marie, dans *Fuir*, se retrouvent dans une petite crique isolée de l'île d'Elbe et qu'ils se mettent à danser lentement. J'aurais voulu que de la musique surgisse à ce moment-là entre les pages du livre, doucement, en arrière-plan, qu'elle s'exhale de la page et qu'elle remonte, qu'elle enrobe l'atmosphère, sans que l'on sache très bien d'où elle venait, par quel miracle elle avait surgi, mais que, d'un coup, elle nous eût, nous, lecteur, enveloppé. Je me souviens de ma légère frustration quand j'ai écrit ce passage, de ne pas pouvoir avoir recours à la musique pour accompagner cette scène si douce, si tendre, où les amants se retrouvent et s'enlacent sur cette crique, mais, à l'époque, il était impossible d'ajouter de la musique à un livre, et je me souviens alors d'avoir regretté le cadre limité auquel le livre est toujours contraint, muré en lui-même, comme une boîte hermétiquement close, dont il est impossible de s'extraire, malgré la tentation que j'ai toujours eue de franchir les frontières du livre et de sortir physiquement de ses limites. Je continuais de regarder l'actrice nue dans le viseur de

186

la caméra et je songeais que je pourrais peut-être ajouter la musique du film dès maintenant à la scène que j'étais en train de tourner, que je pourrais faire lancer la musique en play-back, car la musique du film, je l'avais avec moi ce soir, je l'avais dans ma poche sur une clé USB, je l'avais apportée en Chine avec moi, cette musique que j'avais demandé au Delano Orchestra de composer spécialement pour *The Honey Dress*. Et je songeai alors que je pourrais la faire surgir maintenant, cette musique, aussi bien dans le film que j'étais en train de tourner que dans le livre que j'étais en train d'écrire — car, à deux niveaux de temps superposés, c'était autant un film que j'étais en train de tourner qu'un livre que j'étais en train d'écrire « en ce moment » —, et, si cela avait été impossible il y a quinze ans de faire surgir de la musique d'un livre, c'était sans doute possible maintenant, c'était devenu techniquement possible de faire surgir de la musique d'un livre numérique, elle pourrait donc très bien partir de cet endroit, la musique — ici, à quelques lignes de la fin —, je la ferais partir en off, c'est d'ailleurs également en off qu'elle commence dans le film, quand on entend une voix féminine qui tient toujours la même note, un Ah-Ah-AhAhAh lancinant et répétitif, qui accompagne le titre, THE HONEY DRESS, puis vient un deuxième carton, *a film by Jean-Philippe Toussaint*, et enfin le dernier carton, *produced by Chen Tong*, et c'est alors la première image du film qui apparaît sous nos yeux, et c'est maintenant. C'est le début du film, et c'est la fin du livre.

honey.jptoussaint.com

CET OUVRAGE A ÉTÉ COMPOSÉ ET ACHEVÉ D'IMPRIMER
LE CINQ MAI DEUX MILLE DIX-SEPT DANS LES
ATELIERS DE NORMANDIE ROTO IMPRESSION S.A.S.
À LONRAI (61250) (FRANCE)
N° D'ÉDITEUR : 6095
N° D'IMPRIMEUR : 1701381

Dépôt légal : septembre 2017